JN046089

親子で学ぶ

林 茂
HAYASHI SHIGERU

〈はじめに〉

この本は、熊本日日新聞社の生活情報紙「あれんじ」に２０１８年６月から２０２３年３月まで５年近くかけて連載した「親子で学ぶ　文化財担当者のイチ押し」の記事１０２回分をまとめたものです。連載の狙いは、熊本の歴史の概観や代表的な文化財の紹介ではなく、それぞれの現場で文化財の調査・保存や活用の仕事に取り組む学芸員さんら文化財行政担当者の皆さんに、自らが多くの人に知ってほしいと思うオススメの文化財の魅力や由来を語ってもらい、紙面で伝えることでした。

連載開始の前年、どこかの国の大臣が観光行政の観点から「一番のがんは学芸員」などと発言して物議を醸しました。取材依頼の電話で、何人かの学芸員さんが「本当に私の好きなものでもいいんですか？」と喜ばれた声が忘れられません。そうやって教えてもらった文化財は有形、無形、天然記念物などさまざま。指定の種類も未指定から市町村、県、国指定まで多岐にわたりますが、どれも歴史の先生が授業中についつい横道にそれて語り始めたエピソードのように、印象に残る話ばかりでした。

連載では地域・時代が順不同でしたが、出版に際しては発行日を添えて文化財の種類、大まかな時代ごとに並べました。本文の内容は、取材した皆さんの役職なども含め原則として連載時のままとし、文化財の名称や指定種類などが変わっている場合には「メモ」で注記しています。

発刊に寄せて

熊本大学永青文庫研究センター長　稲葉継陽

文学部歴史学科の日本史学研究室で教鞭をとって二十年以上になります。主に古文書の解読をつうじて歴史の真実に迫るための技量と方法を鍛え、学生たちに実践を積んでもらうのが、カリキュラムの特色です。

日本の文字文化は、およそ平安時代に貴族層や寺社勢力にひろまり、やがて武士たちの間にも定着していきました。集落内の旧家に何百通もの古文書が伝わっていることも珍しくありません。しかし、文字文化が地域住民の生活レベルにまで普及するには、それなりの時間がかかったようです。調査実習を経験するうち、旧家の古文書は十九世紀以降に蓄積されたものが大半であると実感するようになりました。大事なことを文書にして残す文化が社会の隅々にまで定着したのは、江戸時代後期のことだったのです。

ですから、古文書だけに頼って江戸時代前半までの歴史を書こうとすれば、どうしても支配層からみた物語になってしまいます。しかも、国家史や政治史が王道だとみるエリート歴史学の世界に安住しようとする研究者は少なくないのですから、支配層が残した古文書だけを扱う傾向が、どうしても強くなります。実際、教科書の歴史叙述の大半はそうしたものでしょう。

ですが、歴史研究者が、あたかも庶民に歴史がないかのごとく振る舞うのは、グローバル化のもとで人々の暮らしや地域のつながりが急激に変化している現状に無関心でいる態度と、根は同じではないでしょうか？　地域に暮らし、コミュニティを形づくり、戦乱や災害の続く厳しい時代を力をあわせて生き抜いた私たちの先祖の歴史に、なんとしても光をあてねばなりません。

そう考えてもがいている私などに、いつも多くを教えてくださるのは、地域の自治体の文化財行政担当者のみなさんです。発掘調査のデータ、史跡、古地図、地名、住民のみなさんからの聞き取り調査のデータ、仏神像や石碑の銘文等など――私たちの先祖が、生活を営んだ場にじつに多くの足跡を刻み込んでいたことを学んだのでした。

業績主義にしばられた大学の研究者たちとはちがって、文化財行政担当者のみなさんは、調査研究の成果を着実に蓄積し、文化財の価値を明らかにして、その保護と活用に取り組んでいます。文化財の価値、つまり地域社会の歴史、先人からのメッセージを、住民のみなさんと共有し未来へとつないでいこう――。担当者のみなさんのお仕事は、文化財とそれが存在する地域への愛着なしには成しえないものです。

そんなみなさんが薦めてくれる取って置きの文化財が、熊本日日新聞社の「あれんじ」の連載で紹介され、こうして一書にまとめられたのは、ほんとうに喜ばしいことです。

たんに過去にあった出来事ではなく、現在と未来をより良く生きようとする私たちが理解した過去こそが、歴史なのです。本書がそうした意味での歴史を共有するためのガイドとして活用されることを願っています。

親子で学ぶ　熊本の文化財

―目次―

《古　代》

《中　世》

《近　世》

《近　代》

縄文時代

逆瀬川遺跡（さかせごういせき）

〈五木村＝未指定文化財〉

網でアユ漁をした縄文人　ダム計画で発掘調査進む

（2021年6月19日付）

初めに、今から4千年ほど前の縄文時代中期から後期にかけて、五木村の川辺川で網を使ったアユ漁もしていたと考えられる縄文人のお話をご紹介します。村中心部の頭地地区から3㌔ほど下流。蛇行する川辺川に突き出た右岸の低い段丘上に、九州電力川辺川第一発電所があります。そのすぐ下流が逆瀬川遺跡です。

川辺川ダムの水没予定地だったため、1999（平成11）年11月から1年近くかけて五木村教育委員会が発掘調査しました。「土器や石器がたくさん出土しましたが、平たい河原石の両端を打ち欠くなどして、ひもをくくりつけやすくした石錘（せきすい）が大量に出ました」と村教委の福原博信さんが言います。

千点を超す石器のうち石斧（せきふ）が12%、石鏃（せきぞく＝石の矢尻）が24%。これに対し、石錘は42%を占めたそうです。「おそらく横に長い網を作って下に石錘をくくりつけ、川に張る刺し網漁をし

蛇行する川辺川右岸にある九州電力川辺川第一発電所。すぐ奥の土砂が積んである辺りが逆瀬川遺跡です

ていたと考えられます」と福原さん。

遺跡の辺りは、魚の集まる淵が連なる絶好のポイント。アユやヤマメなどが大量に取れたことでしょう。福原さんは「地元の人の話では、数十年前でも網が重くて上がらないほど魚が取れていたそうです。しかし、近年は異常気象のため淵が砂利で埋まるなど、川が激変しています」と話します。

遺跡では、竪穴住居跡も5基見つかりました。床の径が4㍍前後。中央に炉の跡がある住居もあったそうです。人々が定住していたことがうかがえます。

しかし、五木の縄文人がずっとここで暮らしたわけではないようです。福原さんは「縄文早期には人々は山の中腹の平場で生活し、中期ごろには一度川岸に移動し、再び山の中腹に戻ったようです」と話します。逆瀬川遺跡の時代には気候が安定して川の氾濫も少なく、安心して暮らせたのかもしれません。川辺川から80㍍ほど標高が高い頭地代替地の「頭地田口B遺跡」では、縄文早期と後期の遺物が出ているそうです。後期の層では、ひもの跡が残る石錘も出土しました。川まで登り下りが大変でも、アユの味が恋しかったのでしょうか。

一方、逆瀬川遺跡からさらに川辺川を下り、相良村に入ってすぐの右岸側斜面に、やはり4千年ほど前の野原遺跡があります。相良村教委の調査で2基の竪穴住居跡と、墓や貯蔵庫だったとみられる土坑56基も見つかりました。川辺川との標高差は約40メートル。ここでは、出土した千点余りの石器の8割以上がドングリなどをすりつぶす磨石(すりいし)と石皿でした。

五木の縄文人は魚や獣、栗やドングリなど、自然の恵みを得やすい場所を探しながら暮らしていたようです。出土した土器の様式で、鹿児島や水俣、宇城方面などから文化流入があったことも分かっています。

「川辺川ダム計画で水没予定地や代替地の遺跡調査がほぼ同時に進み、特に縄文時代の暮らしの全体像が把握できました」と福原さんは振り返ります。

【メモ】
村役場近くのヒストリアテラス五木谷には、出土した石錘で復元を試みた網や、酒を注いだ容器のように思える中空のドーナツ状土器などの出土品も展示されています。

〈多良木町＝未指定文化財〉

縄文時代早期の人形の石製品（２０１８年８月４日付）

「岩偶」と確定すれば縄文最古

今回ご紹介するのは、条例などに基づく「文化財」ではありません。正確には、「まだ文化財の指定を受けていない出土品」とでも言った方がよいでしょうか。

２０１０（平成22）年８月４日、多良木町黒肥地の追の原（おいのはら）遺跡の発掘調査中に、１個の小さな石が出土しました。

「観音さんのごたっとの出たバイ」

この日、発掘の手伝いで現場に居合わせた多良木町文化財保護委員の蓑田温子さんは、そんな声がしたのを覚えています。「ただ、見た印象も薄く、すごいものが出たという感じはしませんでした」

出土した石は、高さ１・９センチ、幅１・５センチ、厚さ０・７センチで重さ３・２グラム。１円玉ほどの大きさです。材料は岩石の中で最も軟らかい種類の「滑石」でした。加工はしやすいものの、人吉・球磨地方では産出しない石です。

頭部が丸く削られ、肩が張って腰にくびれがあり、女性のようにも見えます。手足は欠けたわけではなく、人体を抽象的に表現したもののようです。

多良木町教育委員会社会教育係長の永井孝宏さんは、「この石は地表から約80センチの深さで見つかり、

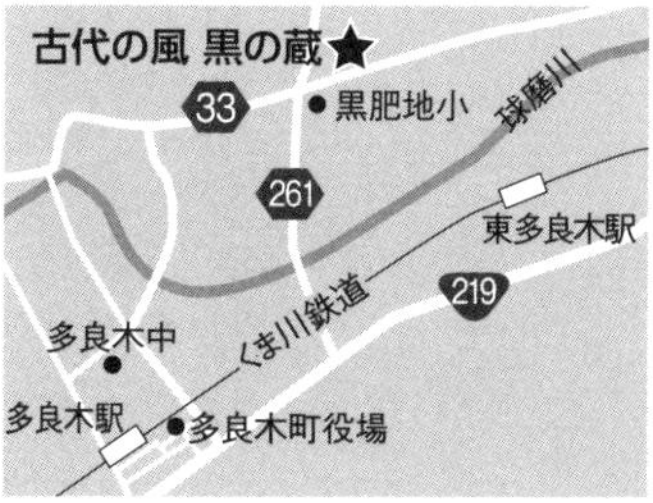

『アカホヤ』と呼ばれる約7300年前の鬼界カルデラ噴火による火山灰層の下にありました。そして周りで出た土器の様式などから、約8千年前の縄文時代早期後葉のものと判断されました」と話します。

形状は、鹿児島県の上野原遺跡で出土した、縄文早期の女性の土偶とよく似ています。もし、この石が土偶のように祭祀(さいし)に使われるなどした「岩偶(がんぐう)」だとすれば、ほかに出土例がなく、縄文最古となります。

ただ、胸の膨らみなどで表・裏が判別しにくいことなどから慎重な意見もあり、岩偶と確定させずに他の出土例など今後の研究を待つことになりました。

縄文時代早期後葉の人形の石製品。奥が頭部。右側の1円玉と比べると大きさが分かります

そう聞くと、この遺跡もどんどん発掘してもらい、早く結果を知りたくなりますが、永井さんは「追の原遺跡は、大規模な農地整備の工事区域にかかるので記録を残すため調査しました。発掘調査は専門家が行うにしても遺跡を破壊する行為。お宝探しではありません」と言います。

文化財の保護と調査・発掘、あるいは活用という、バランスが難しい仕事に携わる人の言葉に重みを感じます。

蓑田さんは、「球磨地方は古代から豊かな土地で、歴史と文化財の宝庫。この石も球磨の豊かさを示していると思います」と話しています。

【メモ】
「人形の石製品」は多良木町埋蔵文化財等センター「古代の風 黒の蔵」に展示されています。月曜（祝日・振替休日の場合は翌火曜）と年末年始が休館。9時～17時（入館は16時半まで）。入館無料。出土場所は埋め戻されて見学できません。

〈宇土市＝市指定史跡〉

轟貝塚（とどろきかいづか）〈2021年1月9日付〉

縄文前期の指標土器出土　役目終えたもの葬る場か

考古学の世界で、宇土市宮庄町にある「轟貝塚」と「轟式土器」の名前は全国にとどろいているそうです。

いきなり駄じゃれで恐縮ですが、宇土市教育委員会文化課の芥川博士さんが「轟式土器は、九州全域や中国・山陰地方などで広く出土し、縄文前期の遺跡の年代判定などの指標に使われます」とした上で「轟貝塚はその轟式土器の型式を設定する基準となった土器が出土した『標式遺跡』です」と教えてくれました。

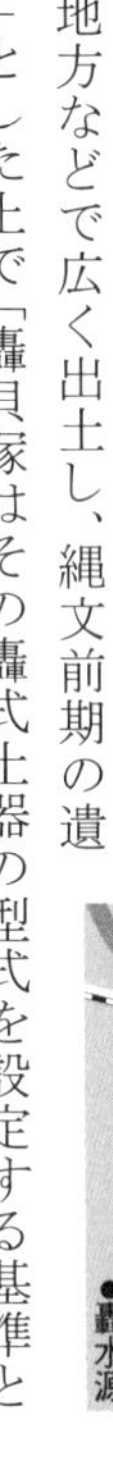

出土した轟式土器は縄文時代早期末（7千年余り前）から前期（約6千年前）のもので、破片の文様や厚みなどの特徴を基にA式からD式まで4型式に分かれます。共通するキーワードは「貝殻条痕文を持つ土器であること」と芥川さん。具体的にはアカガイに似たハイガイの貝殻にある放射状の肋（ろく）で土器に筋を描いています。

もう一つのポイントは、A式とB式の間に、約7300年前の鬼界カルデラの大噴火が起きていること。その火山灰（アカホヤ）を含む地層の下から出てくるのがA式、上がB式と分かれ、年代判定の重要な目安になります。芥川さんは「鹿児島の縄文遺跡ではA式の轟式土器は出土しますが、B式が出な

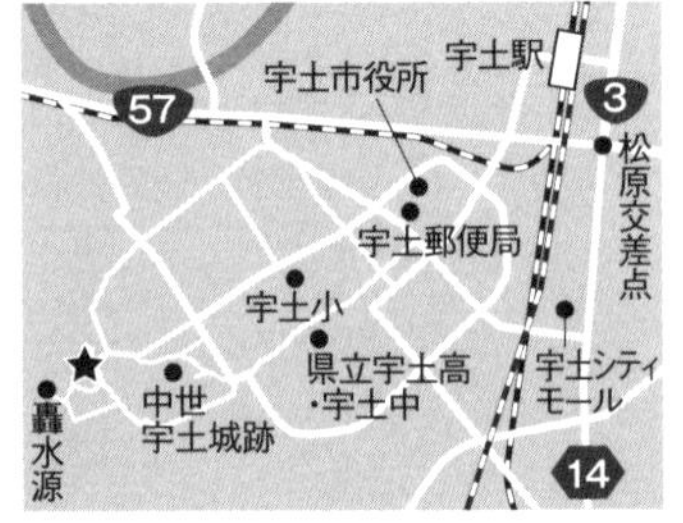

今も貝殻や土器片などが地表で見つかる轟貝塚

い地域があります。大噴火で人が住めなくなったとみられています」と言います。

一方、佐賀平野にも豊富なA式以前の土器に対し、B式が出ない遺跡があるそうです。「その遺跡があった高さは現在の海抜で3メートル〜マイナス1メートルほど。こちらは地球温暖化による縄文海進で海に沈んだとみられます」と芥川さん。

縄文海進の時代には、宇土市街地なども海の底でした。宇土半島の丘陵東端にある轟貝塚は標高5メートルから7メートル。当時は波打ち際より少し高台にあったというところでしょうか。

貝塚からは火で焼いた痕がある石を多量に含む集石遺構も出土しています。「木の葉で包んだ肉や魚を焼石で覆って蒸し焼きにしたり、材料と水を入れた土器に焼石を投げ込んで煮立たせたりして食べた跡と推測されます」。その話で秋田県の漁師が浜で作る石焼き鍋という料理があったことを思い出しました。

轟貝塚は明治時代から存在が知られ、初めは人骨が数多く出土する遺跡として注目を集めました。「人骨は約70体が出土しています。専門家によると、轟貝塚を含む海際の縄文人は、山の縄文人より体格がいいそうです。獣も魚も食べていたからでしょう」と芥川さん。肩の骨が発達している点は、漁労などで海にこぎ出していたためとみられるそうです。

芥川さんは「貝塚は一般にごみ捨て場とみられますが、埋葬された人骨も出ています。動物や魚の骨、貝殻などのほか土器、石器などの道具も含め、役目を終えたものを葬る祭祀の場でもあったのではないでしょうか」と話します。

【メモ】
轟貝塚では大量の貝殻などが出土しますが、それを食べた人数が暮らした集落跡は見つかっていませんでした。芥川さんらは長く続いてきた轟貝塚の発掘調査報告書をまとめ、その中で同じ時期の土器が集中して出土する範囲を手掛かりに、集落跡は常に貝塚のすぐ隣にあったと推定しました。貝塚は２０２２（令和４）年11月に国の史跡に指定されました。

〈水俣市＝市指定史跡〉

南福寺貝塚（なんぷくじかいづか）（2019年3月2日付）

中尾山麓にできた貝塚　森の恵みで「豊かな海」

水俣市南福寺。標高334㍍の中尾山の麓に位置する水俣高校の第2グラウンドに接して、今回ご紹介する南福寺貝塚があります。1928（昭和3）年に発見された縄文時代中・後期の貝塚です。

ここで出土した縄文後期初頭（4500年ほど前）の「南福寺式土器」には、特有の「逆S字」などの文様があり、他の遺跡で出た土器の年代の目安となることから、南福寺貝塚は「標式遺跡」になりました。

水俣市教育委員会生涯学習課の竹田耕岳（こうがく）さんは「南福寺式土器は熊本県を中心に中九州西岸で出土しています。当時、少なくともその範囲では人が交流していたことになります」と話します。

市は周辺の宅地化が進んだため、1972年に貝塚を市史跡に指定。保存のため700平方㍍を買収して公園にしました。公園内の2カ所を金網のフェンスで囲い、貝殻が堆積している状況を見学できるようにしてあります。

竹田さんは水俣高校出身で、サッカー部だったそうです。「隣のグラウンドで練習していて、『何のためのフェンスだろう』ぐらいに思っていましたが、後になって貝塚は貴重な情報の宝庫だということ

南福寺貝塚入り口。奥にある金網フェンス越しに貝塚の表面を観察できます

が分かりました」と言います。

貝塚は、言ってみれば当時のごみステーションです。まず、人々が何を食べていたか分かります。南福寺貝塚からはハマグリ、カキ、バイガイ、ビナなどの貝殻やシカなどの骨が出土しています。

また、石器や土器、中にはクジラの脊椎骨の痕跡が底に残った土器片も見つかっています。脊椎骨の平らな面を台にして土器を成形していたらしいことが分かります。

他にも、イノシシの牙のネックレスなどから、人々の暮らしが目に浮かぶようです。

「貝塚は、どこの海辺にもあるというわけではありません」と竹田さんは言います。「日本は酸性土壌で、貝殻や骨は普通、溶けてしまいます。酸性土壌を中和してしまうくらい大量の貝殻があって初めて、貝塚ができます」

現地を訪れた専門家が、中尾山麓の地形を見て「いかにも貝塚ができそうな場所だ」と口にしたそうです。

「森からの養分で海が豊かになり、魚介類が豊富に取れる。水俣の海は『豊かな海』と言われますが、縄文のころもそうだったのだと実感します」

そう語る竹田さんは市教委に配属されて初めて考古学に接したそうです。「考古学や歴史の分野は重要で面白い。きちんと勉強して学芸員の資格を取りたい」と話しています。

【メモ】
南福寺貝塚の入り口は薩摩街道に面しています。貝塚ができるほど豊かで多くの人が暮らしていた集落を、やがて街道が通ったのかもしれません。

〈湯前町＝未指定文化財〉

湯前町（ゆのまえまち）の玦状耳飾り（けつじょうみみかざり）

（2020年2月15日付）

耳たぶに通す石の装身具　痛みをこらえた縄文時代

今回ご紹介するのは縄文時代前期、今から3千〜5千年ほど前のものとみられる石の耳飾りです。縦5チセン、横6・5チセンで厚さは5ミリほど。竹刀のつばに細い切れ込みを入れたような形状をしています。

中国の史書に、男子が腰にさげた装身具として出てくる「玉玦（ぎょくけつ）」に似ていることから、玦状耳飾りと呼ばれています。縄文時代の早期から前期にかけて、全国で流行したようです。

材料は、軟らかくてロウのような艶と手触りがある美石。そのため「完全な形で残っているものは珍しく、太宰府の九州国立博物館に常設展示されていたこともあります」と湯前町教育委員会教育課の日髙優子さんが言います。それほどの名品ですが、文化財指定は受けていません。出土状況がはっきりしないからです。

この耳飾りは湯前町に住む年配の女性宅で見せてもらいました。亡くなった夫から、終戦前後の時期に畑を耕していて掘り当てたと聞いたそうです。女性にとって「亡くなった夫の思い出の品」ですが、正確な記録はありません。

湯前町で出土した玦状耳飾り。出土した時に付いたと思われるくわの痕が残っています

似たようなケースは他にもあります。青森県の亀ケ岡遺跡で出土した、宇宙人のようにも見える遮光器土偶は国の重要文化財ですが、出土状況がはっきりしていれば国宝級ともいわれます。

逆に、江戸時代の農民が志賀島で見つけたとされる金印は、正確な出土状況が分からないにもかかわらず国宝に指定されています。日高さんは「金という材質に加え、『漢委奴國王』と刻まれた5文字の重要性などからですが、いまだに真贋（しんがん）論争が絶えません」と話します。発掘調査の重要性が分かります。

玦状耳飾りを身に着けていたのは、一部の人に限られていたようです。「まだ豪族などは登場していない時代なので、家族や集団のリーダー、あるいはシャーマンのような人々ではなかったかと思われます」と日高さん。

ところで玦状耳飾りは耳たぶを挟むイヤリング式ではなく、穴を開けるピアス式でした。耳飾りの断面の寸法を考えると腰が引けますが、日高さんによると「初めに小さな穴を開けて、少しずつ大きなものを通して広げていったのでしょう」とのことです。

「痛みに耐えられる大人になったことを示す通過儀礼の意味もあったと思われます。耳飾りに限らず、歯を抜いたり、前歯をくし状に削ったり、入れ墨をしたりと、成人や結婚など人生の節目に痛みを与える現象は世界的に見られます」

それでも、全国の出土例をみると、玦状耳飾りを着けていたのは女性が多いそうです。今もピアスの穴を開ける女性が少なくないことを考えると、縄文の時代に何かしら親近感も覚えます。

【メモ】

湯前町には、「ゆのまえ温泉湯楽里」のすぐ南に今から3万年ほど前、後期旧石器時代初頭の潮山(うしおやま)遺跡とクノ原(ばる)遺跡があり、太古から人が暮らしていたことが分かっています。町内では開発が少なかったため発掘調査の数は多くありませんが、逆に未発見の遺跡が良好な状態で地下に眠っている可能性があると言えます。農作業で見つかったという玦状耳飾りは出土状況がはっきりしないものの、日高さんは「こうした表面採集資料は、新たな発見への大きな手掛かりになります」と話しています。

〈菊池市＝未指定文化財〉

三万田東原遺跡（みまんだひがしばるいせき）

（2023年2月18日付）

緑の玉の加工片多数出土　縄文の九州ブランド工房

狩猟採集生活を送った縄文時代の人々も身だしなみに気を使いました。耳飾り、腕輪をはじめ勾玉（まがたま）や管玉、小玉のネックレスといった装身具が国内各地の遺跡で出土します。

勾玉、小玉などの緑色の石は従来、色調などから多くが新潟県糸魚川市で産出するヒスイとされ、ほかに蛇紋岩や緑色片岩などの報告もありました。

熊本大埋蔵文化財調査センター准教授の大坪志子（ゆきこ）さんは「縄文の石製装身具は北陸など東日本の『ヒスイ文化』が中心で、縄文後晩期に九州で緑の玉や勾玉などが出てくるのも東日本の文化が広がったものとされていました。でも、色や質感がヒスイとは違う気がして、ずっと違和感を持っていました」と言います。

やがて技術と機器の発達により、蛍光X線分析で出土品を傷つけない成分分析が可能になり、その分析の結果、九州で出土した緑色の玉がヒスイではないという研究例が報告されます。

ただ、それが何の石かまでは分からなかったので、熊本大助教だった大坪さんは縄文土器や石器、緑色の玉などが採集されていた三万田東原遺跡に目を付けます。「遺跡周辺で緑色の原石を拾い、成分や

出土したクロム白雲母の小玉の完成品（左）と穴を穿つ段階で破損したとみられる破片。直径は5㍉ほど（熊本大学提供）

結晶まで調べてもらいました。するとその石は、雲母にクロムが混じって緑色になる『クロム白雲母』と分かりました」

それを基に大坪さんが、九州各地のヒスイ製とされていた縄文後晩期の玉約９６０点を蛍光Ｘ線分析で調べると、「７割がクロム白雲母、１割が滑石でした」。さらに、西日本一帯にまでクロム白雲母の玉の完成品が出回っていたことも判明。東日本のヒスイ文化圏に対し、西日本には九州独自のクロム白雲母文化圏が生まれていたことを示す研究でした。

三万田東原遺跡は菊池市泗水町の花房台地の国道３８７号より西側の耕作地にあり、大坪さんは２０１７年から３年間、この遺跡を発掘調査しています。

農地整備などの影響を受けず保存状態が良かった10平方㍍ほどの調査区では、竪穴建物跡の一部や小玉に穴を穿（うが）つ石錐（いしきり）、研磨用の持ち砥石などの道具類が出土。小玉は原石や未完成品、半円形の破片など、２４００点余に上りました。「完成品は少なく、ここが小玉の製作所、いわば『縄文時代の九州ブランド』の工房だったと確認できました」と大坪さん。

この遺跡をはじめ熊本の平野部が九州の玉作りの中心だった可能性もあるそうですが、石の原産地は謎のままです。大坪さんは「クロム白雲母は変成岩で付近にその地層はなく、縄文人の１日の行動半径が7㌔程度とされることも参考に調べています」と言います。

また、縄文後晩期には勾玉、管玉、小玉が一緒に出る例が多いそうですが、ここは小玉のみ。大坪さんは「遺跡の別の場所で勾玉などを作ったかもしれませんが、まだ分かりません」とした上で、「弥生時代になると社会の階層化・分業化が進みますが、縄文時代は協業の時代。当時の集落は2、3軒ほどで手先が器用な人を中心に、みんなで玉作りをしたのでは」と言います。

「この時期、九州は安定して食料を確保できるようになり、人口が増えて人々の結束を固める呪術が盛んになったと言われています。九州ブランドの緑の玉は弥生時代以降の、身分の高さを示す『威信財』としてではなく、九州人のつながりを示す印として求められたのではないかと思います」

【メモ】
通常の発掘では土をふるいにかけて遺物の見逃しを調べることもありますが、小玉の工房とみられたこの区画では、現場にタンクで運んだ水をコンテナやバケツに入れ、すべての土を目の細かいふるいで洗って小玉片などを抽出。さらに虫眼鏡や顕微鏡でも調べたそうです。

〈大津町＝未指定文化財〉

ワクド石遺跡(いしいせき)

（２０２０年３月21日付）

合志台地の大規模集落跡　縄文人の農耕示す土器も

大津町の北西部に位置する杉水地区を、菊池市へ向かう国道３２５号が通っています。一帯は合志台地上にあって標高は１４０メートルほど。国道の両側に畑作地帯が広がります。

今から３千年ほど前の縄文時代後期から晩期にかけて、この辺りで多くの人々が暮らしていたそうです。それを示すワクド石遺跡を、１９３１（昭和６）年に地元の小学校の先生が発見しました。その後の調査で石斧（せきふ）や石包丁などの石器、土器類などが出土。弥生時代や古墳時代になると人々の痕跡は減りますが、縄文後期の土器片からは稲のもみのような圧痕が残っているのが見つかっています。

大津町教育委員会生涯学習課の高野信子さんは「他の時代のものも紛れ込む地層の中ではなく、土器に痕跡が残っていたことで、縄文時代に稲作が行われていたことを示す資料ではないかと注目を集めました」と言います。

その後、各地の縄文土器から見つかった同じような痕跡は「ワクド石タイプ」と呼ばれるようになりました。そして、痕跡の型をとって顕微鏡などで詳しく調べた熊本大の近年の研究で、稲ではなく在来

ワクド石遺跡の発掘が行われた畑では、キャベツが収穫時季を迎えていました

種の大豆だったことが分かったそうです。

大豆も、稲と同じく栽培が始まったのは弥生時代とされており、それが縄文時代にさかのぼることを示すものでした。学校で習った縄文時代のイメージといえば狩猟・採集をしながらの移動生活。農耕を営む定住生活は弥生時代からというイメージに一石を投じたことに変わりはありません。

熊本県の総合土地改良事業に伴い、1991(平成3)年から翌年にかけて実施された発掘調査では、縄文時代の土器や石器、佐賀県産の黒曜石などのほか、住居跡の柱穴や、時代ははっきりしませんが、北陸・糸魚川産のヒスイの勾玉(まがたま)なども見つかっています。玉類の加工もする大規模な集落だったようです。

高野さんは「交通手段もなかった太古の時代ですが、遠く離れた土地の産物を入手するなど、この地を拠点にした人々は各地と幅広く交流していたことがうかがえます」と話します。

そうやって栄えたとみられるワクド石の集落ですが、弥生時代になると様変わりします。「人々は合志台地から南に下りたようです。白川の河岸段丘上の西弥護免遺跡など、大規模な集落が生まれます」と高野さん。水稲栽培が伝わり、水を求めて人々が移動したのでしょうか。

ワクド石遺跡は土地改良事業で整備され、キャベツや特産のサツマイモなどがよく育つ畑になっています。

高野さんは「合志台地からは阿蘇の噴煙がよく見えます。太古の人々も阿蘇をあがめ、恐れながら暮らしていたはず」と感じるそうです。


【メモ】

「ワクド」は地元の方言でカエルのこと。昔、遺跡の辺りにはカエルの姿に似た「ワクド石」があったと伝えられているそうです。

弥生時代

〈熊本市西区＝未指定文化財〉

上代町遺跡群（かみだいまちいせきぐん）

（2020年9月19日付）

弥生時代の大規模木工場　古墳時代には馬を飼育か

熊本市西区にある高橋稲荷神社の南に、広大な雨水調整池が広がっています。周辺の地域には縄文時代から近世までの遺構が残る「上代町遺跡群」があり、調整池工事に先立って２０１５（平成27）年６月から17年５月まで、第５次発掘調査が実施されました。

元は畑で海抜は３メートル余り。少し掘れば水が湧く場所から弥生時代の銅剣木製柄や古墳時代に埋葬された馬の全身骨格などが見つかりました。

銅剣の柄は、調査区域を北東から南西に走る大きな溝で出土しました。溝は幅約８メートル、長さ約２１０メートル、深さ約０・８メートル。約２３００年前の弥生時代中期前半に掘られたようです。その中央から北東寄りの最下層で柄の端に付く盤部の木片が出土。少し南西側で柄が見つかりました。大溝が掘られたのと同じ時期のものとみられるそうです。材料はサカキで下地に黒漆を塗り、赤漆で仕上げてありました。

復元すると、佐賀県の吉野ケ里遺跡や韓国の茶戸里（タホリ）遺跡のものと形が酷似していて、調査

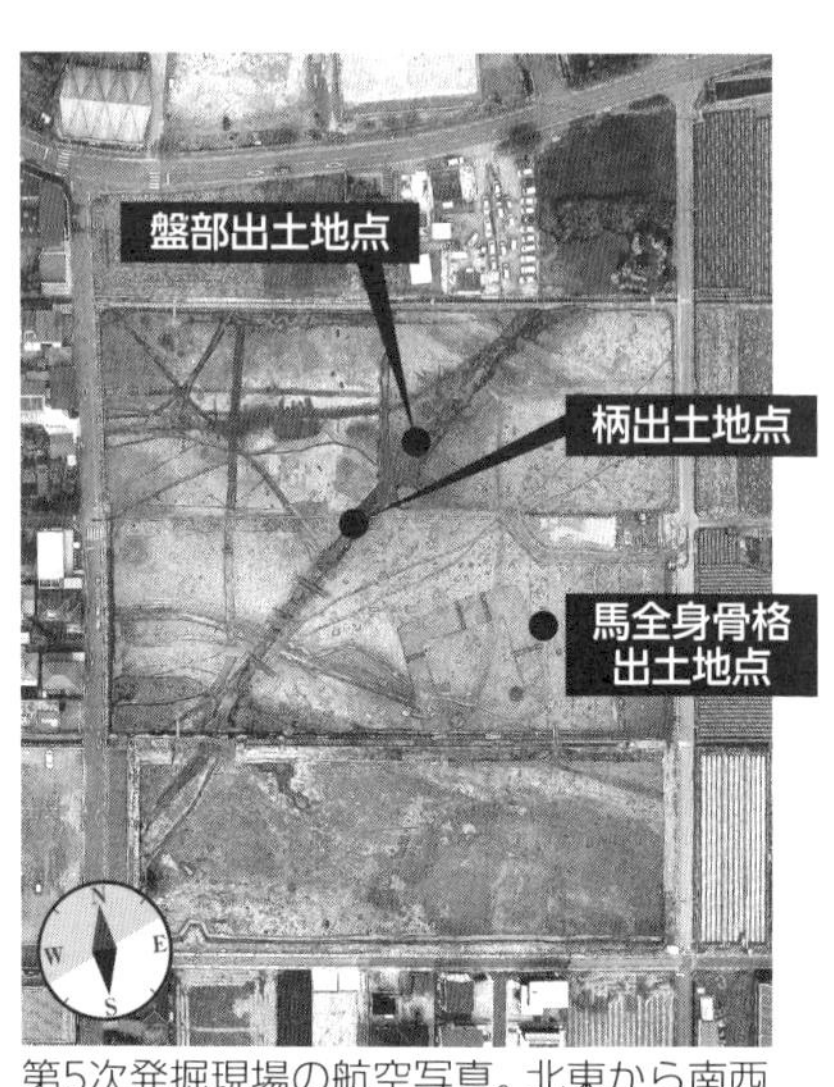

第5次発掘現場の航空写真。北東から南西に大溝が走っています（熊本市文化財課提供）

を担当した熊本市文化財課の芥川太朗さんは「出土した土器なども含め、有明海を通じて吉野ケ里、さらには朝鮮半島との交流があったと考えられます」と言います。青銅の剣身などは福岡や佐賀の遺跡で出土例がありますが、木製の銅剣柄は朽ちるため、地下水で保存条件が良かった上代町のものが国内で初めてだそうです。

大溝からはほかにも、水田耕作に使うくわなどの農具や石斧（せきふ）の柄、臼、弓といった木器の完成品、廃棄物など約２千点が出土しました。木の伐採や加工に使った石斧も大量に見つかっています。「一帯は低地で弥生時代に広まった水稲栽培に適しており、ここは木製農具などの大規模な木工場だったと思われます」と芥川さん。

銅剣柄には剣身を挿して祭祀などに使ったとみられる痕跡がありました。本来なら所有者と一緒に墳墓に納まるべき品ですが、なぜか大溝に廃棄されたような状況だったそうです。

馬の全身骨格は時代が下がって古墳時代後期（６世紀）、大溝の南東側にある「方形周溝状遺構」に接して埋葬されていました。推定12歳の雄。体高１２５㌢ほどで、頭を南にして丁寧に埋葬されており、地域の有力者の愛馬だったのでしょう。方形周溝状遺構は馬に関わる祭祀の場だった可能性もあり、幼齢馬から高齢馬までの骨が約３００点出土しています。

馬は古墳時代初めに朝鮮半島から渡来しています。芥川さんは「この時代はまだ海も近く、集めてきた馬をここで飼育して各地に送り出す集団がいたのかもしれません」と言います。「日本書紀」には５４６（欽明７）年、百済の使者が帰国するに際し、良馬70頭と舟10隻を送ったという記述があります。もしかすると、その中に上代町の馬もいたのかもしれません。

芥川さんは「ここは熊本平野の玄関口で、それぞれの時代に他地域との関係を持つ拠点集落があり、有力な首長層が存在したことは間違いありません」と話しています。

【メモ】
高橋稲荷がある城山（じょうやま）には、６世紀中ごろとみられる市指定史跡の城山古墳群があり、「三の塚」からは鉄刀や馬具の轡（くつわ）が出土したそうです。上代町遺跡群の首長層の墳墓だったのかもしれません。

〈南阿蘇村・高森町＝未指定文化財〉

幅・津留遺跡（はば・つる・いせき）（2020年2月1日付）

鉄器やベンガラで繁栄？　卑弥呼の時代の巨大集落

熊本市から俵山トンネルを抜け、南阿蘇村の県道熊本高森線を進んで行くと、両併小の先で小高い段丘が現れます。そこを上った辺りが幅・津留遺跡。同村両併の幅地区と高森町高森の津留地区にまたがって広がっています。

熊本高森線のバイパス工事のため、県教育委員会が2006（平成18）年度から12年度にかけて全長1400メートル、幅14メートルのエリアを西側から発掘調査。まず、弥生時代中期末の木棺墓が170基ほど出土しました。最終的には調査区域だけで300基以上、全体で数千基の墓があるとみられるそうです。

「墓域の東には深い溝を隔てて主に石器を使う集団の集落跡がありました。長径約200メートルの環濠（かんごう）集落のようです」と南阿蘇村教育委員会の竹永昂平さんが言います。

特徴のある竪穴住居跡も出土しました。直径約8メートルの穴を上から見ると花のような形をした花弁状住居です。宮崎、鹿児島や球磨地方特有の住居とされていましたが、佐賀県でそれより約200年古いものが見つかり、幅・津留遺跡の住居跡はその中間に当たるそうです。

幅・津留遺跡では九州各地や朝鮮半島の形式の土器も幅広く出土しています。竹永さんは「吉野ケ里

南阿蘇村・幅地区の発掘現場の航空写真。長方形のくぼみなどが木棺墓の跡です（熊本県教育委員会提供）

がある佐賀などの九州北部から南九州への文化の交流・中継点だったのではないか」と話します。

発掘が進むにつれて、さらに東側に弥生時代後期の墓域や集落があったことが明らかになりました。集落の造りなどから、同一集団が引っ越したとみられるそうです。

この「東のムラ」の大きな特徴は鉄器と赤い顔料のベンガラです。摘み鎌、小刀、釣り針、矢尻など大量の鉄器が出土。それらは自分たちで加工し、各地に送り出していたようです。竪穴住居の鍛冶場の跡もあり、ベンガラも見つかっていて鉄器やベンガラで栄えた集落だったようです。

では、材料の鉄はどうしたのでしょうか。日本の製鉄の始まりは古墳時代とされ、阿蘇で使った鉄材は中国などからの輸入品とみられます。鉄材を加工した際の端切れも出土しています。しかし、それなら重い鉄材を阿蘇まで運ばずとも、海辺の鍛冶場で加工すればよかったのに、とも思えます。

東のムラでは、県道の南側にあったらしい集落中心部の大型建造物を描いたとみられる土器片も出土しました。熊本市出身で、別府大時代にこの遺跡調査に参加して南阿蘇村教育委員会を志したという竹永さんは「墓の数や土器片の建造物などから考えて、阿蘇地域の弥生時代の地域社会復元のための重要な遺跡だと思います」と話します。

東のムラが栄えた時代は、ちょうど邪馬台国の卑弥呼の時代と重なるそうです。阿蘇・南郷谷の巨大集落が邪馬台国とどう関わったのか——。興味は尽きません。

【メモ】

戦時中は、鉄分を含んでベンガラの原料にもなる阿蘇黄土を、八幡の製鉄所に運んで製鉄していたそうです。弥生時代の阿蘇の人々も製鉄技術を持っていたのではないかと考える研究者もいます。

〈八代市＝未指定文化財〉

上日置女夫木遺跡（かみひおきめおとぎいせき）

（2019年8月3日付）

八代の弥生時代の中心　海上交易の中継基地か

九州新幹線新八代駅は2004（平成16）年3月、八代市上日置町に開業しました。周りは田園地帯でしたが、駅舎や線路の建設工事に先立つ発掘調査で、弥生時代などの遺跡が次々と見つかりました。

八代市文化振興課の西山由美子さんは、「八代の縄文時代や古墳時代のことはある程度分かっていましたが、弥生時代の遺跡はあまり見つかっておらず、発見の連続でした」と振り返ります。

2003年5月には、現在、新八代駅がある辺りの上日置女夫木遺跡で、弥生時代中期から後期のものとみられる小銅鐸（どうたく）が出土しました。高さ5・3センチ、幅3・2センチで熊よけ鈴より少し大きい程度。音を出すための「舌（ぜつ）」も一緒に見つかりました。県内で初めてで、国内では最南端の出土例となりました。

西山さんが担当した、鹿児島線の線路を挟んで西側の用七遺跡では、青銅製のヤリガンナの破片が出土。他の遺跡も含め、100軒ほどの竪穴住居跡が発掘され、この一帯に大きな集落があったことも分かりました。

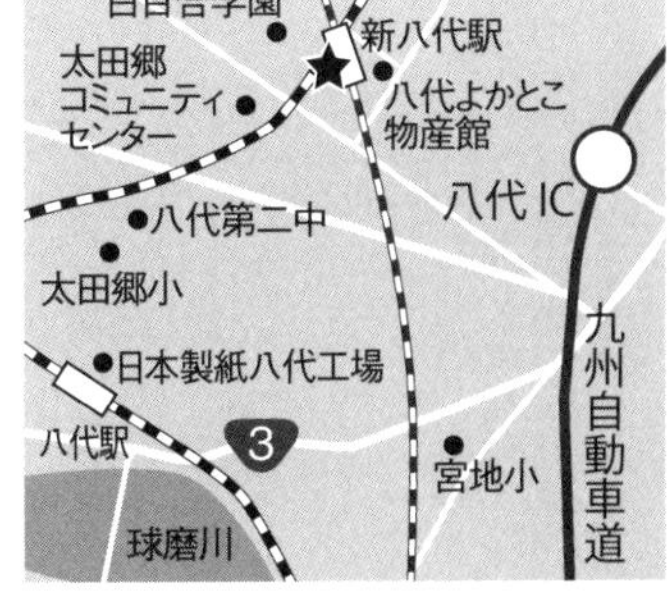

新八代駅南口から見る上日置女夫木遺跡。左側の鹿児島線駅舎辺りの地中から小銅鐸が出土しました(円内は小銅鐸と舌=八代市文化振興課提供)

「以前は八代に青銅器文化自体が入ってこなかったとする見方もありました。小銅鐸が出土するのは、その地域の中心だった証拠。新幹線の駅の辺りが当時の八代の中心だったことが分かりました」と西山さん。クスノキの一枚板の扉(高さ約1・3㍍、幅約0・5㍍)も出土しており、特別な建物があったと考えられています。

それでは、福岡など北部九州で多く作られた貴重な小銅鐸が、なぜ八代に来たのでしょうか。ヒントになるのが、少し後の時代になりますが、当時は八代海の沖合に浮かぶ島だった大鼠蔵(おおそぞう)古墳群や日奈久の田川内第一号古墳から出土した貝の腕輪です。材料はサラサバテイやイモ貝など、奄美や沖縄の海の巻貝。九州や畿内などで大流行したアクセサリーです。中でも大鼠蔵で出土したサラサバテイは、九州では他に出土例がありません。

「光沢は美しいものの材質がもろく、あまり流通しなかったようです」と西山さん。そして、「この貝輪は『流通していない珍しい貝を直接目にする機会があった人』、つまり、『貝の運搬に関わっていた人』が直接産地から手に入れた」と分析し、「八代の人々は穏やかな八代海を通って海上交易を営む『海人』だったと思われます。小銅鐸の発見で、その可能性が強まりました」と話します。

大鼠蔵や小鼠蔵、高島など、かつての島々には多くの古墳時代の墳墓があります。これらの島には住居の跡が見られず、活躍の場だった海に浮かぶ島を墓地に選んだのかもしれません。西山さんは「海に面し、人や物が交流する八代には、弥生時代から続くＤＮＡが生きていると思います」と話します。

【メモ】
上日置女夫木遺跡の南に位置する県八代総合庁舎前の西片園田遺跡では、弥生時代の剣の木製のさやが完全な形で見つかりました。小銅鐸と併せて、この地域に剣を持つ権力者が存在したことをうかがわせます。

〈西原村＝未指定文化財〉

下小森前鶴遺跡（しもごもりまえづるいせき）

（2021年8月7日付）

村で初めての弥生集落跡　環濠も備えた地域の拠点

今回ご紹介する下小森前鶴遺跡は、２０１６（平成28）年の熊本地震で被災した西原村の集落再生事業に伴う発掘調査で発見されました。場所は村役場のすぐ東。歩いて5分もかからないところです。

「今から１９００年ほど前、弥生時代中期末から後晩期にかけての遺跡で、地域の拠点集落だったようです」と調査報告書を担当した村教育委員会の嘉戸愉歩（ゆうほ）さんが教えてくれました。高遊原台地にある西原村で、弥生時代の集落跡が見つかったのは初めてだそうです。

ほぼ東西に延びる１２０㍍ほどの道路沿いに宅地を造成するため、２０１８年に道路部分を中心に発掘調査が実施されました。竪穴建物跡や弥生土器の破片などが出土しましたが、特筆すべきは集落を囲んだとみられる環濠（かんごう）跡です。調査した道路のほぼ中央を横切る形で南北方向に延び、幅5㍍、深さは１・９㍍ほどもありました。

環濠集落は、弥生時代に水稲栽培が普及して集落同士の争いが起きるようになったことに伴い、防御拠点として九州北部から広がりました。佐賀県の吉野ケ里遺跡をはじめ、県内でも山鹿市の方保田東原（かとうだひがしばる）遺跡や高森町・南阿蘇村の幅・津留遺跡など、大規模な遺跡が見つかってい

南東側から見た下小森前鶴遺跡の調査時の様子。現在の道路部分が発掘されています。左奥が西原村役場（西原村教育委員会提供）

ます。

嘉戸さんは、「この遺跡で出土したものではありませんが、鳥子地区にある鳥子三之宮神社には、長さが70㌢ほどの銅矛が2振り伝わっています」と言います。銅矛は青銅製の武器として朝鮮半島から伝わったとされ、日本では祭器として弥生時代中期ごろから九州北部で生産されました。

「銅矛があったということは、弥生時代のこの地に有力豪族がいて、その集落があってもおかしくないと考えられていました」と嘉戸さん。今回の環濠集落がまさにそれかもしれません。

環濠や銅矛などから九州北部とのつながりがうかがえますが、発掘では環濠のすぐ東側から、そろばんの玉のような形の胴部が特徴の、免田式土器のつぼも出土しました。旧免田町（現・あさぎり町）で最初に出土した土器で、この土器が出たということは九州南部とのつながりをうかがわせます。

さらに、「俵山交流館萌の里」の先にある縄文時代後期の遺跡で見つかったヒスイの大珠（アクセサリー）は、分析で北陸・糸魚川産だったことが分かっています。嘉戸さんは「高遊原一帯は九州北部や南部、阿蘇などと、人や物が幅広く行き交う場所だったといえます」と話します。

免田式土器は祭祀に使われたと考えられており、つぼが出土した環濠東側には墓地などがあったのかもしれません。村役場寄りの西側では建物跡や土器片が数多く見つかり、環濠内部の集落だったと考えられるそうです。嘉戸さんは「環濠がどれくらい延びていたか分かれば集落の規模も推測できますが、まだ見当はつきません」と言います。

遺跡の東側に立つと、すぐ近くに村役場の建物が見えました。弥生時代も、高台に開けたこの辺りがムラの中心だったに違いないと思えました。

【メモ】

遺跡は標高170㍍余りの台地上ですが、川や水の湧く場所を意味する「ツル」が付く地名の通り、阿蘇外輪山からの地下水が豊かです。環濠も底の痕跡から、空堀ではなく水が張られていたと分かるそうです。

〈熊本市東区＝未指定文化財〉

長嶺遺跡群（ながみねいせきぐん）

（2020年1月11日付）

1980年から続く発掘　熊本平野と阿蘇の接点か

都市化が進んだ熊本市内では、大規模な遺跡発掘の機会はめったにありませんが、宅地開発などでスポット的な調査が継続的に行われています。

今回ご紹介するのは、託麻市民センター（現・託麻まちづくりセンター）の建設に伴う1980（昭和55）年の第1次調査で、奈良時代や弥生時代後期の住居跡などが見つかった長嶺遺跡群です。

周辺ではその後も調査が続き、2019（令和元）年6月にはセンター駐車場拡張のため第16次調査が実施されました。場所はセンター北側の農地で、駐車場になる約千平方㍍のうち出入り口のスロープとして掘り崩される約50平方㍍を発掘。弥生時代の、正方形や長方形の竪穴住居跡などが出土しました。

調査に携わった熊本市文化振興課埋蔵文化財調査室の藤島志考（もとなり）さんは、「一帯に大きな集落があったことは分かっていましたが、今回の正方形の住居跡は一辺6㍍と、長嶺遺跡群で最大級でした」と言います。

その住居跡には焼けた跡が残っていたそうです。誰かに襲撃されたのでしょうか。

「火災や襲撃であれば、焼けた土器片も大量に出るはずですが、ありませんでした。土器など必要なものを運び出した後で焼却したようです」と藤島さん。隣接する第8次調査区では炭化した垂木や屋根を覆った茅の灰などはあるのに、柱材の灰が見つからない焼け跡があったそうです。再利用する柱などを取り去って火をつけたとみられます。

第16次調査の発掘現場。右側のくぼみが正方形、左側が長方形の竪穴住居跡です

藤島さんによると、住居を廃絶する際に焼き払うのは阿蘇地方やその周辺で多く見られる特徴の一つで、熊本市内ではこの長嶺遺跡群だけだそうです。「正方形の住居も阿蘇地方に多い形です。また、ヤリガンナや矢尻などの鉄製品が多数出土したことも、阿蘇周辺部の遺跡と共通します。住居の床には阿蘇の特産だったベンガラとみられる赤い顔料も残っていました」

一方で、熊本平野に多い長方形の竪穴住居も数多く見つかっています。こうしたことから藤島さんは、「長嶺遺跡群は、熊本平野部と阿蘇とを行き来する上で重要な拠点だったとみられます」と話します。

ちなみに、白川を挟んで北側の清水町遺跡群からは、瀬戸内系の弥生土器が出土しています。「瀬戸内のものということは、海路でやってきたと考えられます。この辺りは阿蘇の山の文化と海の文化とが交流する場所だったのかもしれません」と藤島さん。

第16次調査の発掘範囲はわずか50平方㍍。「もっと調べたい気持ちはありますが、発掘は遺跡を破壊すること。今しっかり保存しておけば、将来技術が進んでさらに詳しいことが分かるかもしれません」と藤島さんは言います。今回の正方形の竪穴住居も半分以上が姿を現さないまま駐車場の下で眠り続けます。

【メモ】
藤島さんはその後、長嶺遺跡群から1㌔ほど離れた八反田遺跡群の発掘調査も担当。縄文時代の炊事や食事用の鉢、土偶片などが出土したほか、弥生時代の集落跡もあったそうです。

〈宇城市＝未指定文化財〉

大塚台地遺跡など

震災復興で調査急増　他県から応援職員も

（2018年10月20日付）

宇城市では、熊本地震後の復旧事業などで、埋蔵文化財の発掘調査が相次ぎました。今回ご紹介する市役所本庁舎西側の丘陵上にある大塚台地遺跡もその一つです。

2017（平成29）年3月、熊本地震災害公営住宅を大塚台地の市有地に建設するため、市教育委員会が事前に確認調査をしてみると、弥生時代の土器片が出土しました。

そこで県教育委員会の協力で本格的な発掘を実施。弥生時代後期末の首長級の墓とみられる墳丘墓1基と、白色粘土を敷き詰めて遺体を安置する、地域色の強い粘土床墓など31基が見つかりました。市教委文化課の藤川智絵さんによると、「首長級の人物と地域色の強い埋葬構造が一緒に見つかるのは県内でも珍しい」とのことです。

このため、宇城市は発掘した区域（約570平方メートル）の保存を決定。遺跡を埋め戻し、災害公営住宅は建設予定地を北側にずらして建てることにして、発掘調査を進めました。

また、旧国道3号北側の市立松橋中学校では、やはり熊本地震復旧関連の武道場建設に伴い、2018年4月から7月にかけて周辺に広がる松橋大野貝塚の発掘が行われました。縄文時代の貝塚ですが、

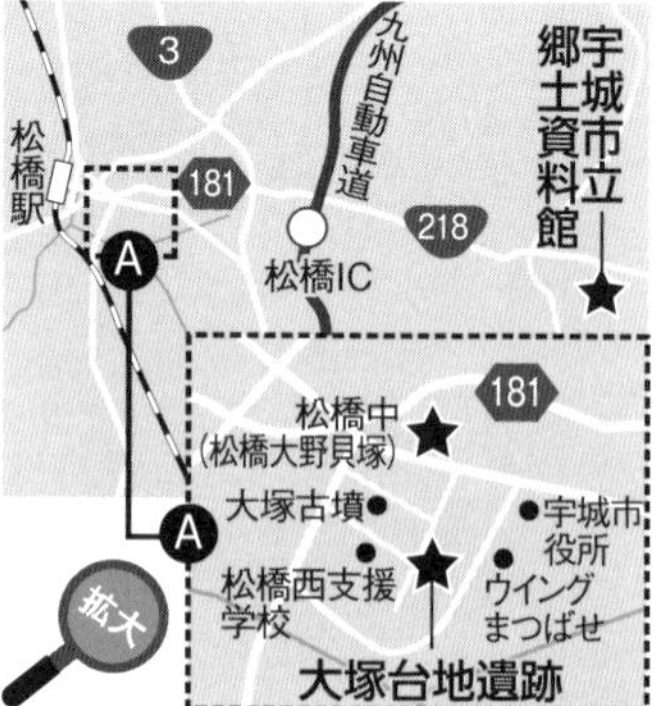

大塚台地遺跡の災害公営住宅建設予定地での発掘調査

新たに古墳時代中期（5世紀）の竪穴住居跡などが見つかるなどの成果が出ています。

文化財保護法では、遺跡周辺など埋蔵文化財がある可能性のある場所（周知の埋蔵文化財包蔵地）で土木工事などをする場合は、都道府県や市町村に届け出が義務付けられています。

宇城市内では被災家屋建て替えなどの工事が増加し、２０１５年度には届け出前の照会件数３６６件、実際の確認調査４件だったのが、震災翌年の２０１７年度には照会件数１０９４件、確認調査24件と大幅に増えています。

文化課の人員体制が追いつかず、大塚台地遺跡調査には県教育委員会と大分市、松橋大野貝塚調査には福岡県飯塚市と小郡市から派遣された職員が参加しました。

藤川さんは、「熊本地震後、県教育委員会や文化庁などを通じて、県内外から数多くの支援をいただいてきました。他県の調査手法なども参考になり、文化財をきちんと保全し、同時に復興の工事を少しでも速く進めるため、本当にありがたい」と話します。

大塚台地遺跡の墓地の西側には古墳時代中期とみられる大塚古墳（市指定史跡）があります。残存全長約79メートルの前方後円墳で、時期が重なる松橋大野貝塚の集落が築造に関係したとみられます。

県内に大きな被害をもたらした熊本地震ですが、宇土半島の付け根に位置する交通の要衝で、旧松橋町庁舎も置かれた大塚台地の歴史を掘り起こす貴重な機会になったとも言えます。

【メモ】
大塚台地遺跡や松橋大野貝塚などで発掘された出土品は、宇城市豊野町にある市立郷土資料館で整理・調査が行われ、現在も収蔵されています。

〈山鹿市＝国指定史跡〉

方保田東原遺跡（かとうだひがしばるいせき）

（2020年7月18日付）

卑弥呼時代に重なる遺跡　歴史が豊かな山鹿の原点

山鹿市の中心部から菊池川を4キロほどさかのぼり、支流の方保田川が北から合流する辺りの台地に今回の方保田東原遺跡があります。弥生時代後期から古墳時代前期（2世紀後半～3世紀前半ごろ）にかけての環濠（かんごう）集落跡で、卑弥呼のいた邪馬台国の時代と重なります。

昔から農地を耕すと土器片などが見つかっていたそうですが、1955（昭和30）年に住宅工事現場で石棺墓が出土。73年2月から山鹿市教育委員会が第1次発掘調査を実施し、翌年5月には南の海で産するスイジガイを模したような、円形の本体から7本の爪が出た巴（ともえ）形銅器が見つかり、脚光を浴びました。

以来、半世紀近く。市教委による発掘調査はこれまで55次に及び、古代史研究にとって重要な発見が相次いでいます。

「例えば、弥生時代に稲穂を摘み取るのに使った石包丁の形をした鉄器です」と市教委社会教育課の牛島桃子さんが挙げてくれました。

84年の発掘で出土し、その後にもう1点出ていますが、「鉄の石包丁が見つかっているのは全国でこ

東から見た方保田東原遺跡の航空写真。左側が菊池川、右の台地下を流れるのが方保田川です（1995年撮影、山鹿市教委提供）

の遺跡だけです」と牛島さん。当時の鉄は貴重品。水田遺構は見つかっていませんが、よそではまねできないほど鉄をぜいたくに使い、最先端の稲作技術・文化を持っていたとも考えられそうです。

それを裏付けるように他にも鎌やおの、矢尻、剣、釣り針など大量の鉄器が出土。鉄材を加工した炉の跡、鉄の切れ端なども数多くあり、この集落で鉄器を製造していたことが分かります。

牛島さんは「青銅器も巴形銅器のほか、銅鏡や矢尻など、県内で最も多く出土しています」と言います。また、阿蘇の黄土でできた赤い顔料のベンガラや、中国などの王朝で愛用された貴重な水銀朱を加工する石器もあったそうです。

こうしたことから、牛島さんは「当時は中央のヤマト政権が成立する前で、この集落はどこかに従属して貴重な物資を入手していたというわけではなく、独立して国内の各地域をはじめ中国や朝鮮半島とも交易する力を持っていたと考えられます」と言います。

遺跡は約35ヘクタールあり、うち11ヘクタールが国指定史跡です。発掘はまだ全体の5％ですが、３５０戸ほどの竪穴住居跡が見つかっています。「1家族３人として千人以上。全体を考えれば、魏志倭人伝に卑弥呼が率いたと書かれている30のクニの一つとも考えられ、そう位置づける研究者もいます」と牛島さんは言います。

集落は古墳時代中期に入ると姿を消します。牛島さんは「火災など戦乱の痕跡はなく、稲作に有利な土地を求めるなどして周辺に移り住み、その人々が数々の装飾古墳を築くなどしていったのではないでしょうか。その意味でこの遺跡は、豊かな歴史を持つ山鹿の原点だと思います」と話しています。

【メモ】
山鹿市出土文化財管理センター建設に伴う発掘調査では、国内最大級の幅8㍍近い大溝（環濠）が見つかり、大規模な土塁跡も出土しています。

古墳時代

塚原古墳群（つかわらこふんぐん）

〈熊本市南区〉＝国指定史跡
（2019年5月11日付）

高速道路工法変え保存　国内有数規模の古墳群

旧城南町の塚原古墳公園に着き、駐車場で車を降りると、ゴーッというジェット機のような音が間断なく聞こえてきます。公園の真下を貫く九州自動車道塚原トンネルを出入りする車の走行音です。

塚原古墳群は、この高速道路建設の際に破壊されるところでした。当初は江戸時代から「九十九塚」の伝説があった塚原台地をV字形に切り崩して通す計画だったからです。

ところが、１９７２(昭和47)年に始まった工事前の発掘調査で、畑になるなどして墳丘が失われていた古墳や石棺などが次々と見つかり、マスコミや市民も交えた保存運動が巻き起こります。国は２年後、トンネル工法への変更を決定し、古墳群は守られることになりました。

その後の調査を含めると、２０４基の古墳が確認されました。うち77基が復元され、一帯は約10ヘクタールの公園に整備されています。全体の古墳数は「九十九塚」どころか、推定で何と約５００基にも上るそう

1994年ごろの塚原古墳群。右奥の前方後円墳が復元された花見塚古墳（熊本市塚原歴史民俗資料館提供）

です。「ここは国内有数の規模の古墳群です」と塚原歴史民俗資料館学芸員の清田純一さんが言います。

この古墳群には４世紀後半から約２００年間、古墳時代前期から後期に至る間の古墳があります。初期の方形周溝墓から、方墳、円墳、前方後円墳とそろい、石棺・石室などの様式も加味すると合計14種類に上るそうです。

誰がこんな古墳群を築いたのでしょう。塚原古墳群のすぐ南東に、ちょうど時期が重なる住居跡群の「上の原遺跡」があります。5世紀から7世紀にかけての住居跡が約４５０軒見つかっており、古墳群につながる一族の集落の一つとみられます。

「塚原台地の北を流れる浜戸川の水は稲作に適しており、長く定住して古墳を築けたのではないかと考えます」と清田さん。

古代官道の「球磨駅」が城南町にあったという説もあり、清田さんは「この辺りは当時の益城郡、現在の宇城、城南、富合の中心でした」と言います。「塚原で最大級の花見塚古墳が全長約62メートル。大きさから考えて、熊本から八代にかけて勢力を持った『火の君』本体ではなく、その一族ではなかったかと思います」

清田さんは実家が塚原台地の農家でした。高校時代、高速道路建設に伴う発掘調査に参加。「くぬぎ塚古墳」で高さ20センチほどの土師器（はじき）の壺を発掘した感激で考古学を志したそうです。長く塚原古墳群に関わってきた清田さんは、「最大の魅力は、ここだけで熊本の古墳の歴史を学べること」と話します。

【メモ】
花見塚古墳は残念なことに大正時代初めに盗掘されていて、鉄刀や耳環、よろいなどが出土したと伝えられているそうです。

〈上天草市＝市指定史跡〉

千崎古墳群（せんざきこふんぐん）（2020年10月3日付）

海に面した丘陵の古墳群　環八代海の文化経済圏か

上天草市大矢野町の八代海に浮かぶ維和島。その北端にある千崎丘陵は、南北500㍍、東西300㍍ほどの大きさで、上から見ると片仮名の「ト」の字のような形です。丘陵の尾根筋に、古墳時代前期後半から中期前半（4世紀～5世紀ごろ）にかけての古墳とみられる遺構が26基もあることが、2003（平成15）年からの熊本大学の調査で確認されています。

上天草市教育委員会社会教育課の西田京平さんの案内で、「ト」の字の「丶」に当たる東尾根の端から登りました。海抜20㍍ほどの頂に10号墳と9号墳の箱式石棺が並んで露出していました。周りの樹木で見晴らしはよくありませんが、古墳築造時には東の戸馳島との間の瀬戸や八代海などを行き交う船を見守ることができたはずです。

西田さんは「この古墳群は土や石材が失われて地上に露出しているものが多く、当時の原形をとどめるものは多くありません」と言います。9号墳もふたがずれていましたが、おかげで天草産砂岩の箱式石棺に残る加工跡を見ることができます。

側石は2枚の板石の端をカギ状に削って継ぎ合わせ、ふた石の裏には箱石の形に合わせて溝が彫っ

9号墳(左)と10号墳の石棺

てありました。「主に砂岩を使った特徴的な加工から『千崎型箱式石棺』として他地域の石棺との比較資料になっています」と西田さん。箱式石棺(とみられるもの含む)の古墳が17基、横穴式など石室のものが7基、その他2基あるそうです。

時期の目安になる土器片などの出土が少ないため、築造の順番ははっきりしません。ただ、尾根の頂部分にある古墳はすべて箱式石棺で、石室の古墳は下の稜線や斜面にあり、西田さんは「丘陵では古墳を高い場所から造ることが多く、築造順やどんな人の墳墓かを考える参考になります」と言います。

では、この古墳群を、どんな人たちが造ったのでしょうか。ヒントは「海」にあるようです。宇土半島や八代などの八代海の周囲には、やはり天草産の砂岩を使った同じような石棺があり、八代の高島や大鼠蔵(おおそぞう)などのように当時は海上の島だった場所の古墳もあります。

西田さんは、古墳時代の維和島には大規模な水田に適した場所が少なかったことから、海運や製塩など海に深く関わる人々が海を越えて活発な交流をした可能性を指摘した上で、「千崎古墳群から約1㌔南西にある梅ノ木遺跡では、千崎より少し古い土器が出ており、その人々が千崎古墳群の築造に関わったのかもしれません」と話します。

当時は海面が今よりも高く、千崎丘陵は瀬戸に突き出す岬だったそうです。「岬の稜線に並ぶ古墳群は墓であると同時に、瀬戸を通る船に威を示す構造物だったのかもしれません」

千崎18号墳からは熟年男性の全身骨が出土しています。顔は面長でのっぺりとして北部九州の渡来系弥生人の系譜とみられ、土着の熊本古墳人とは異なるそうです。そのころ、どんな人的交流があったのでしょうか。

【メモ】

千崎古墳群の発掘調査経過報告は「上天草市史大矢野町編1　上天草いにしえの暮らしと古墳」に詳しく紹介されています。

〈御船町＝町指定史跡〉

小坂大塚古墳（おざかおおつかこふん）（2019年9月21日付）

震災機に県南最大と判明　隣接する福祉施設が保護

熊本地震では県内の数多くの文化財が被災しました。しかし、修復や復興の過程で新たな発見につながった例も少なくありません。御船町の小坂大塚古墳もその一つです。

「以前は墳丘の直径が30㍍ほどとみられていましたが、震災後の発掘で、直径が54㍍ある県南で最大規模の円墳だったことが分かりました」と御船町教育委員会社会教育課文化財専門員の上坂暖子（はるこ）さんが言います。

古墳は、国道４４５号から御船川に架かる小坂橋を渡った豊秋台地の上にあります。１９２０（大正9）年、道路修理や耕作地開発のため、小高い塚を削っている最中に石室が現れ、急きょ県と京都帝国大の調査が入りました。

「横穴の奥に遺体を安置するスペースを3人分、コの字形に並べて正方形の石室を造り、石を積み上げたドームを天井石でふさぐ『肥後型横穴式石室』の典型とされています」と上坂さん。石室などから短甲、鏡、玉、鉄刀などが出土し、４世紀末の古墳と推定されました。

そして２０１６（平成28）年。熊本地震で古墳の南と西に面してL字形に建っていた障がい者総合文

西側から見た小坂大塚古墳。発掘エリア手前左側の角に周溝を渡る陸橋がありました（2018年2月、御船町教育委員会提供）

援センター　ヴィラささゆ（元第二明星学園）が被災して建て直すことになり、建設予定地の発掘調査が２０１８年１月から２月にかけて行われました。

その調査で明らかになったのは、深さ２・５メートル、幅が10メートルに及ぶ周溝が墳丘を取り巻いていたことです。周溝も含めた直径は74メートルにもなります。また、石室に出入りする横穴の延長上には周溝を掘る際に一部を残して石室に渡るための「陸橋」を設けてあったことも分かりました。

周溝から出土した壺（つぼ）形埴輪（はにわ）や小型丸底の壺の時代は、やはり４世紀末とみられ、大正時代の見立てを補強するものでした。

町の調査報告書は出土物の一つの短甲の形状から、古墳に埋葬されたのは中央政権とつながりのある有力な豪族であったと分析しています。

報告書の編集に携わった上坂さんは「古墳は以前から、ヴィラささゆが墳丘周囲を竹柵で保護するなどして土砂流出を防いでくれていました。それで震災の被害も小さく済んだと思います」と話します。

施設長の山崎雅之さんは「地域の歴史や古墳のご先祖様をおろそかにしてはいけないので大切にしてきました。地震の際、誰一人けがなく避難できたのはそのおかげだと思います」と話します。

ヴィラささゆは、施設の建て替えに際して2階からの避難スロープを、墳丘を取り巻くように設けて見学もできる造りにするなど、それまで以上に古墳の保護に力を入れています。

【メモ】

直径54メートルの小坂大塚古墳は、県内の円墳としては阿蘇市・中通古墳群の勝負塚(直径58メートル)に次ぐ大きさです。出土した壺形埴輪や丸底壺は、主に周溝を渡って石室に向かう陸橋辺りから落ちたものとみられ、何らかの祭祀(さいし)を行っていたのかもしれません。

〈阿蘇市＝県指定史跡〉

中通古墳群（なかどおりこふんぐん）（2020年7月4日付）

歴史と記憶反映する神話　低湿地に築造…最大の謎

阿蘇北外輪山から阿蘇谷に突き出す象ケ鼻突端の小嵐山（しょうらんざん）展望台に上ると、眼下の水田地帯に点在する古墳群が見えます。神話と伝承に彩られた「阿蘇の君」一族の墳墓と考えられている中通古墳群です。大小10基の古墳から成りますが、かつては14基ほどあったそうです。その中で墳丘長が111・5㍍と県内最大級の前方後円墳、長目塚古墳は戦後すぐの1949（昭和24）年、大氾濫を起こした東岳川の河川改修で前方部の一部を削られることになり、発掘調査が実施されました。

「その発掘で竪穴式石室が現れ、人骨のほか刀や矢尻などの鉄製品、銅鏡、玉・ガラス類など未盗掘の副葬品が大量に出土しました」と阿蘇市教育委員会社会教育係の宮本利邦さんが言います。

出土品などから古墳時代中期、5世紀初めごろの築造とみられ、ヤマト政権や県内他地域との関係がうかがえるそうです。被葬者は35歳くらいの女性と鑑定されています。

阿蘇神話の主役の健磐龍命（たけいわたつのみこと）は、伝承では神武天皇の孫とされています。天皇の命で、九州平定のため日向から高森町の草部に入り、まだ湖だった阿蘇のカルデラを見て外輪山

阿蘇五岳を仰ぎ見る場所にある長目塚古墳。大きく蛇行していた東岳川の河川改修で、前方部の一部が削られています（阿蘇市教育委員会提供）

の西を蹴破って水を抜き、農地として開拓したと伝わります。

「阿蘇の古墳時代前期の様子はよく分からず、中期になって突然、ヤマトの象徴である前方後円墳が現れます」と宮本さん。阿蘇神話は、この地に入ってきた中央のヤマト政権の威光や湿地だった阿蘇谷を開拓した人々の記憶を反映しているのかもしれません。

阿蘇は鉄分を多く含み、赤い顔料のベンガラの原料になるリモナイトの産地です。弥生時代には鉄の加工（鍛冶）も盛んで、炉の跡が阿蘇の遺跡でも発見されていますが、「阿蘇で古墳時代の製鉄の痕跡は見つかっていません」と宮本さんが言います。「貴重な鉄の生産（製鉄）はヤマトが一手に管理し、全国各地の豪族に服属の証しとして鉄剣などを与えるといった形で中央集権化が進んだのではないでしょうか」

一つ、疑問がありました。首長クラスの古墳などは通常、その人が治めた地域を見はるかす丘陵や崖の上にあります。中通古墳群はすぐ背後に小嵐山という絶好の場所があるのに、なぜ川沿いの低地を選んだのか。「実はそれが最大の謎です。阿蘇五岳を仰ぎ見たかったのでしょうか」と宮本さん。

それを聞いて、なるほどと思いました。健磐龍命を主祭神とする阿蘇神社は、息子で阿蘇の君の祖とされる速瓶玉命（はやみかたまのみこと）の創建と伝わり、阿蘇中岳火口がご神体です。中通古墳群の被葬者とみられる阿蘇の君の一族は、阿蘇五岳を健磐龍命として、自らが古墳に入ってからもあがめようとしたのではあるまいか――。そんな空想が膨らみます。

【メモ】
長目塚古墳の発掘調査で見つかった木製の柄が残る鉄刀や矢尻、銅鏡、玉類などの出土品は阿蘇神社が管理しており、2019(平成31)年3月に県の重要文化財に指定されました。

〈宇城市＝市指定史跡〉

松橋大塚古墳（まつばせおおつかこふん）

（2021年5月1日付）

コンパス文の須恵器出土　県内最大級の前方後円墳

宇城市役所から西へ400メートル余りの小高い丘に松橋大塚古墳（正式には「大塚古墳」）があります。海抜13メートルほどの頂にある5世紀中ごろの前方後円墳で墳丘全体が公園に整備されています。「この辺りは早くから宅地化が進むなどして、墳丘の形状も影響を受けています」と宇城市教育委員会文化振興課の神川めぐみさんが言います。

しかし、墳丘西側の下益城郡医師会立宇城看護高等専修学校の建設に伴い、市教委が2013（平成25）年度に実施した発掘調査で、3本の細い棒をコンパス状に固定した道具で交互に二重の半円を描く「コンパス文（もん）」を施した、5世紀前半とみられる須恵器の器台片が出土しました。コンパス文須恵器は、九州では八代市の門前古墳の例があるだけ。二重コンパス文の報告例は全国でも関西・中国を中心に、松橋も含め8例だけだそうです。

「コンパス文は朝鮮半島の陶質土器が起源とされています。松橋大塚古墳の器台は大阪府八尾市の遺跡で出土した器台などと似ており、熊本で作られたものではないようです」と神川さん。朝鮮半島と

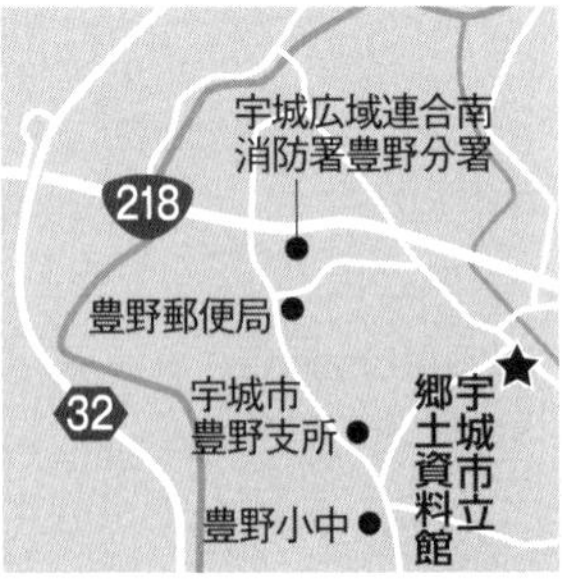

宇城看護高等専修学校の側から見た松橋大塚古墳前方部。墳丘は左側の入り口通路を越えるところまであったとみられます

の交流や、畿内政権とのつながりがうかがえます。一緒に出土した土師器（はじき）や円筒埴輪は5世紀中ごろのもので、コンパス文須恵器は伝世品を祭祀に使ったとみられます。

発掘では古墳の周溝や変形を受けていない墳丘の一部も見つかり、前方部は看護学校入り口の通路を越えていたことが分かったそうです。「残存長70メートル余りの古墳の全長は100メートルほどあったと想定されます」と神川さんが言います。100メートルといえば、阿蘇市の長目塚古墳や、氷川町の火の君一族の墓とされる野津古墳群の中ノ城古墳などに匹敵します。

火の君は不知火海や有明海を掌握した海の民で、6世紀初めから半世紀ほどの間に野津古墳群を築いています。であれば、それより数十年早く松橋大塚古墳を築いた一族は、火の君の先祖ではなかったかと考えたくなります。

神川さんは「宇土半島南側の、野津古墳群を見渡せる岬などの高台には必ずといっていいほど古墳があり、不知火海沿岸に火の君の勢力が広がっていたと考えられます」とした上で、「この古墳は主体部が発掘調査されていないため現時点では具体的な共通点が見つかっておらず、何とも言えません」と慎重です。

松橋大塚古墳のすぐ南東の松橋前田遺跡では、古墳で出土したのとほぼ同じ円筒埴輪が完形で多く見つかり、作業場などではなかったかとみられているそうです。「古墳で出土した物は墳丘上から周溝に転落してかなり割れています。なぜ作業場に完形の物を残していたのかが謎で、松橋前田遺跡が作業場だったとする説に疑問を呈する方もいます」と神川さんが言います。

松橋大塚古墳の遺構は下益城郡医師会の厚意で現地保存されました。盗掘を受けた跡もないそうなので、今後の調査の機会が楽しみです。出土したコンパス文の須恵器などの資料は、宇城市豊野町の市立郷土資料館に展示してあります。

【メモ】
熊本地震による松橋中学校武道場建設に伴う発掘調査で、松橋大塚古墳の築造時期と重なる集落跡が見つかっています。古墳と、それを築いた可能性がある人々の集落跡がセットで見つかる例は全国でも珍しいそうです。

〈和水町＝国指定史跡〉

江田船山古墳（えたふなやまこふん）

（2019年10月19日付）

大刀に残る被葬者の名前　「国産」最古級の文字史料

九州自動車道を菊水インターで下り、和水町役場前を過ぎて玉名市に向かうと、やがて江田船山古墳への入り口が見えてきます。5世紀後半に築かれた前方後円墳です。

1873（明治6）年の正月、辺りの地主だった池田佐十という人物が、初夢で見た神様のお告げで畑の塚の頂を掘ってみると、家形の石棺と豪華な副葬品が姿を現したそうです。

透かし彫りで竜を描いた金銅製の冠やスパイク付きの沓（くつ）、豪華な耳飾り、短甲、銅鏡などの副葬品が90点以上も出土。すぐさま国が買い上げ、1965（昭和40）年には一括して国宝に指定されました。

「出土した銅鏡6面のうち5面が中国製で、大王並みのレベル。沓も朝鮮半島の王墓で出土した物と似ていて、被葬者はヤマト王権だけでなく、大陸や朝鮮半島との関係もあった可能性のある有力者と思われます」と、和水町教育委員会社会教育課の西山真美さんが言います。

そして、この古墳の存在を世に知らしめたのが、銀の象嵌（ぞうがん）で刀身に被葬者名などの75文

古墳のくびれ部分から見た後円部。墳丘内部への入り口が整備され、自由に現物の石棺を見学できます

字と、魚や鳥などの文様が刻まれた「銀象嵌銘大刀」です。

被葬者の名前は「无利弖（ムリテ）」、刀鍛冶が「伊太和（イタワ）」。そして文字を刻んだのが「張安（チョウアン）」と読み取れます。「无利弖と伊太和は倭人、張安は文字に通じた渡来人だったとみられます」と西山さん。

ただ、无利弖が文官として仕えたと銘文に出てくる「獲□□□鹵大王」が誰のことか、文字の欠落ではっきりしませんでした。ところが１９７８（昭和53）年、埼玉県の稲荷山古墳で出土していた鉄剣に金象嵌で１１５文字が刻まれていたことが判明。被葬者の「乎獲居（ヲワケ）」が武官として仕えたのは雄略天皇とみられる「獲加多支鹵（ワカタケル）大王」と刻まれていて、現在では无利弖が仕えたのと同じ大王とされています。

そして、銀象嵌銘大刀の文字は、中国から渡来した銅鏡の定型的な吉祥文などでなく、日本で記された最古級の文字記録という重要な価値を持つことになりました。

西山さんは南関町の出身。「子どものころ、遠足で来て憧れていた江田船山古墳がある和水町で学芸員として仕事ができてうれしい」と話します。

古墳は墳丘長62メートル。前方後円墳としては大きい方ではなく、「副葬品の豪華さと釣り合わないのが今も謎」と西山さん。「无利弖」さんは、領民の苦労を思いやって「ほどほどの大きさで」と指示するような人物だったのではないかと想像が膨らみます。

西山さんは「被葬者名が分かる古墳は、陵墓を除けば極めてまれ。名前が分かることで親しみを感じられる点でもとても貴重な古墳です」と話してくれました。

【メモ】

江田船山古墳に石室はなく、凝灰岩の切り石を組み合わせて追葬もできる横口式の家形石棺でした。副葬品などから被葬者は複数という説もあります。

〈嘉島町＝国指定史跡〉

井寺古墳（いでらこふん）

（2020年5月2日付）

装飾古墳への関心高める　熊本地震で石室など被災

熊本県は、九州を中心に全国で660基ほどある装飾古墳のうち、最も多い196基が集まる「装飾古墳県」です。井寺古墳はその代表ともいえる古墳の一つとされています。

1916（大正5）年にこの古墳を調査した京都帝大考古学研究室が、翌年から43（昭和18）年までかけて発行した全国の古墳・遺跡の研究報告書（16分冊）の第1冊の巻頭で、この井寺古墳を取り上げています。

その中で直線と曲線を組み合わせた「直弧文」が描かれた石室などの様子を「此（この）種の諸例中最も完美なるもの」と評しました。「その結果、全国の研究者の間で装飾古墳に対する関心が一気に高まりました」と嘉島町教育委員会社会教育課の橋口剛士さんが言います。

井寺古墳は、宇土地方で産出する阿蘇凝灰岩の「馬門石（まかどいし）」の切り石を積み上げ、天井を巨石で覆った横穴式石室の円墳で、元の直径は30㍍ほどあったようです。石室の様式などから、古墳時代後期の5世紀末から6世紀にかけての築造とみられています。

幕末の1857（安政4）年、古墳の斜面が崩れて横穴入り口の羨門（せんもん）が現れたことを、地

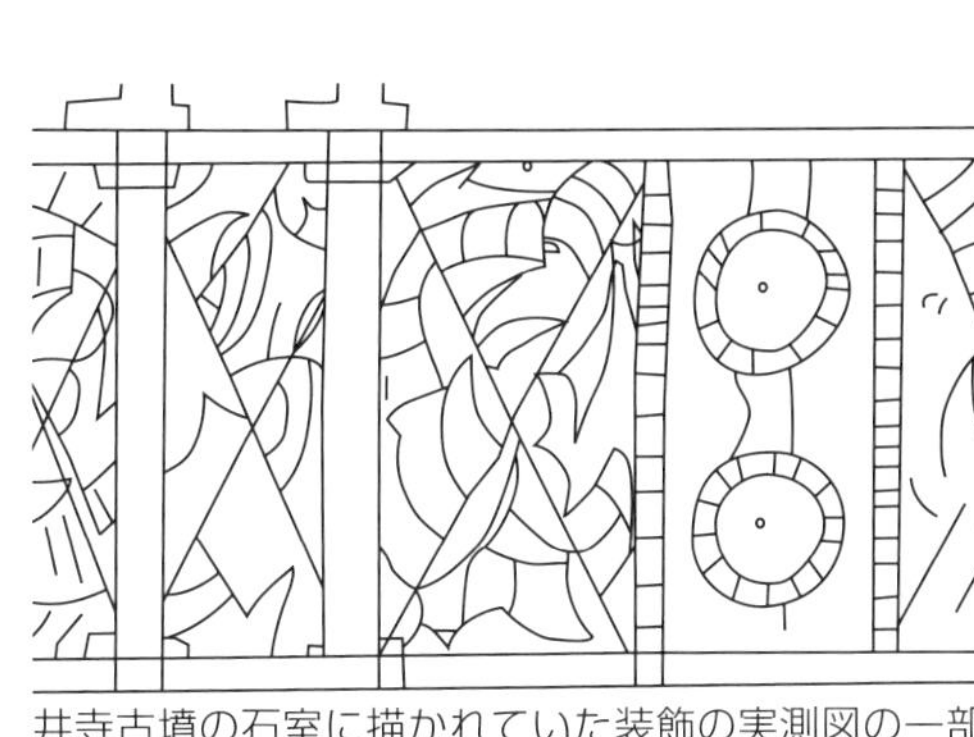

井寺古墳の石室に描かれていた装飾の実測図の一部。直線と弧を複雑に組み合わせた直弧文や円文が並び、呪術的な意味があったのではないかとみられています（熊本県教育委員会提供）

元の庄屋が藩に報告しました。内部は玄室の奥と左右に、遺体の安置場所をコの字形に配置した熊本の特徴的な形式で、遺骨や副葬品もあったようです。報告を受けた藩は元に戻しておくよう指示し、明治時代に盗掘に遭ったとされています。

　古墳は、北甘木台地西端の北に位置する井寺台地の頂上付近にあります。周りは豊富な湧き水に恵まれた水田地帯です。「このため弥生時代から豊かな土地で、辺りの高台には多くの人が生活した痕跡があります」と橋口さん。サントリー九州工場の西にある上官塚遺跡では弥生時代を中心に７００基もの甕棺墓（かめかんぼ）が見つかっているそうです。

　しかし、井寺古墳の南、わずか１００メートルほどの所に布田川断層があり、２０１６（平成28）年の熊本地震で甚大な被害が出ました。墳丘にひびが入り、石室では石が崩れたり、落ちかけたりしているそうです。

「被害程度を調べようにも危険で中に入れず、石室内に飛び出した石の残り部分が奥にどれくらいあるか、外の土をはいで調べようとしただけで崩落しかねません」と橋口さんの顔が曇ります。国や県の支援も得ながら、専門家の会議での検討を踏まえ、復旧に向けての調査が続いています。

　一方、熊本地震をきっかけに、古墳発見を藩に伝えた庄屋の控え文書が見つかり、矢尻や４本の刀、丸鏡、３人分の遺骨があったことなどが詳しく分かりました。橋口さんは「文書に記された石室の寸法なども現物と一致し、貴重な資料。１００年後にこの古墳を残す方法をどうにかして見つけられればと思います」と話してくれました。

【メモ】
井寺古墳などの石室内部を復元したレプリカが、熊本市中央区の県立美術館本館や山鹿市の県立装飾古墳館に展示されています。

〈氷川町＝国指定史跡〉

野津古墳群（のづこふんぐん）

（2020年6月6日付）

古代「火の君」一族の墓か　筑紫君磐井とつながりも

宇城市から国道3号を南下して氷川町に入り、道の駅竜北を過ぎた辺りの東側に連なる丘陵上に、古代の豪族「火の君」一族の墓とみられる前方後円墳が集まっています。

北から「姫ノ城古墳」「物見櫓古墳」「中ノ城古墳」「端ノ城古墳」の4基で、2005（平成17）年に一括して国史跡に指定されました。最も小さい物見櫓古墳で墳丘長62メートル、最大の中ノ城古墳は102メートルあります。

これだけの大きさの前方後円墳が集中するのもあまり例のないことですが、さらに目を引くのは、この4基の築造時期です。出土した遺物などから、6世紀初めに最初の物見櫓古墳が築かれ、その後、わずか半世紀ほどの間に姫ノ城、中ノ城、端ノ城の順で次々に築かれたとみられています。

「当時、短期間にこれだけの工事をやるのは大変な労力と費用がかかったはずです」と氷川町教育委員会生涯学習課課長補佐の荒平健二さんが言います。そのころの海岸線は山裾からほど近い今のＪＲ鹿児島線付近だったそうで、火の君は農業より、海を渡る「海人」として、交易などで財力を蓄えたと考えられています。

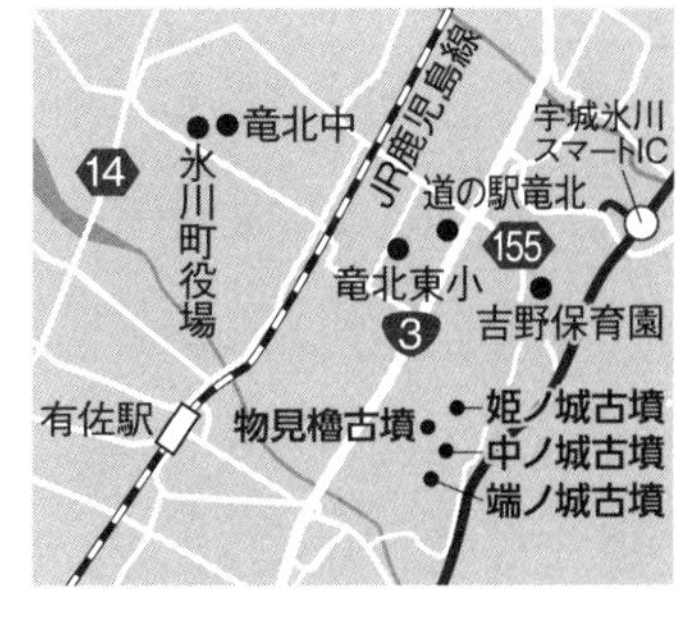

前方部の南東側から見た中ノ城古墳。墳丘の周囲を幅4.5～9メートルの周溝が取り囲んでいます

宇土半島で取れる赤みを帯びた馬門石でできた石棺が、畿内や瀬戸内の古墳で数多く見つかっていますが、火の君はこの石棺を船で、畿内まで運ぶなどしてヤマト政権との関わりも深めたようです。物見櫓古墳では朝鮮半島製とみられる金の垂飾り付き耳飾りや陶質土器などが出土し、海外との交流の可能性もうかがわせます。

一方、姫ノ城古墳からは凝灰岩を彫って、矢を入れる靫(ゆぎ)などの武具や貴人に差し掛ける衣笠(きぬがさ)などを模した石製表飾18点が出土しました。これは九州の古代史で最大の事件といえる「磐井(いわい)の乱」に登場する大豪族、筑紫君(ちくしのきみ)磐井とのつながりを示します。

磐井の墓とされる福岡県八女市の岩戸山古墳では石人や石馬を含め、100点以上が出土。日本書紀には火の君と磐井が姻戚関係にあった可能性を示す記述もあるそうです。磐井一族の古墳からは、朝鮮半島製とみられる金の耳飾りも出土していて、荒平さんは「八女市の資料館で石製表飾や耳飾りを見ましたが、全く同じ文化だったと実感できます」と話します。

磐井の乱が起きた527年はまさに6世紀前半の半ば。磐井は継体大王が差し向けたヤマトの軍勢に敗れますが、乱の前後に野津古墳群の4基が立て続けに築かれたことと関係があるのでしょうか。

ただ、火の君一族はしたたかに生き延びたようです。磐井の乱の3年後に没した継体大王の墓とされる今城塚古墳(大阪府)の石棺は、火の君が運んだ馬門石製だったとみられるそうです。

【メモ】
野津古墳群にはもう1基、物見櫓古墳の近くに同じころ造られたとみられる「天堤(あまづつみ)古墳」があったそうですが、既に消滅しています。

〈菊池市＝未指定文化財〉

銀糸象嵌大刀鍔（ぎんしぞうがんたちつば）

（２０１８年９月１日付）

北部九州動乱の時代　菊池治めた有力者か

菊池川流域を見下ろす花房台地の北端に、木立に覆われた木柑子（きこうじ）古墳があります。地元で「フタツカサン」と呼ばれる全長43メートル、後円部径13メートルの前方後円墳です。造られたのは６世紀前半とみられ、よろい姿の石人が古墳を守っています。

県営ほ場整備事業に伴い、１９９８（平成10）年６月から１年余りかけて発掘調査が行われました。「古墳は盗掘に遭うなどしており、周辺から約２千点の遺物が出土しました」と菊池市教育委員会生涯学習課の阿南亨さん。

この発掘で、二重になった内側の壕（ごう＝溝）を埋めていた土の中から、卵形の鉄さびの塊が現れました。さびを落とすと、精緻（せいち）な銀象嵌を施した大刀の鍔でした。表と裏の縁を銀糸で囲み、釣り針のような勾玉（まがたま）文様があしらわれています。

副葬品と考えられますが、これほど見事な大刀の鍔を所有していた人物は、大変大きな勢力を持っていたのではないかと想像されます。

古墳時代の象嵌鍔の出土は県内で２例目、全国では近畿地方を中心に１２０例ほどありましたが、

木柑子古墳出土の銀糸象嵌大刀鍔（原物）。長径9.2センチ、短径7.6センチ、厚さ0.55センチ

透かし窓の数や象嵌のデザインが、群馬県などで出土した物と驚くほど似ています。

古墳が築造された6世紀前半は、九州北部で筑紫君磐井（ちくしのきみいわい）が「火の国」や「豊の国」と共に中央政権と戦い、敗れたとされる「磐井の乱」（527年）が起きた動乱の時代です。

古墳を守る石人は磐井の文化圏で見られるもので、菊池川流域も影響下にあったと考えられています。

阿南さんは、被葬者は菊池の有力者だったと考えているそうです。「古墳時代当初の日本は各地の有力豪族の連合体でした。6世紀は中央政権による中央集権化が進んでいた時期です。鍔と一緒に出土した供献用の坏（つき）は、近畿の中央政権が全国に使用を指示した須恵器でした」

その上で阿南さんは、「被葬者は石人という共通の葬送儀礼で磐井と関連を持ちながら、中央政権とも関連を持つ有力者だったと考えられます」と話します。

今は木立に隠れていますが、木柑子古墳は花房台地から菊池平野を見渡す位置にあります。国家の枠組みが固まり始めた時代。被葬者は、自らが治めた豊かな土地を末永く見守りたかったのではないでしょうか。

【メモ】

銀糸象嵌大刀鍔は劣化を防ぐため真空保存されており、菊池市の「わいふ一番館・まちかど資料館」にレプリカが展示されています。開館時間：9時～17時、休館日：月曜日（祝日の場合は翌日）と年末年始、入館料：一般220円、小・中学生110円。

〈玉名市＝国指定史跡〉
石貫穴観音横穴（いしぬきあなかんのんよこあな）（2020年3月7日付）

他に例ない観音様の浮彫　人々の信仰心の変遷示す

玉名市の中心部から菊池川支流の繁根木川沿いに北上した石貫地区には、阿蘇凝灰岩が露出した斜面が点在しています。石貫穴観音横穴は、そうした小岱山麓の尾根筋の西側斜面にあり、5基の横穴墓が残っています。同じ尾根の東側斜面に48基が確認されている石貫ナギノ横穴群や嘉島町の井寺古墳、熊本市の千金甲（せごんこう）甲・乙古墳、釜尾古墳、人吉市の大村横穴群とともに1921（大正10）年、装飾古墳として初めて国の史跡に指定されました。

穴観音横穴は西側の3基が、ちょうど仏様の三尊像のように集まり、その中央にある大きな2号墓の奥の壁に、名称の由来になった観音像がレリーフで彫られています。その手前右には、後に持ち込まれたとみられる十一面観音像も安置されています。「この横穴が造られたのは古墳時代の後半、6世紀半ばごろと考えられています」と玉名市教育委員会文化課の大倉千寿さんが教えてくれました。

ちょうど日本に仏教が伝わったばかりのころ。被葬者を弔うため、横穴と一緒に観音様も彫ったとすれば素晴らしい装飾といえますが、大倉さんは「このレリーフは京都・清水寺のご本尊と同じ清水式の千手観音で、平安時代の作のようです」と話します。

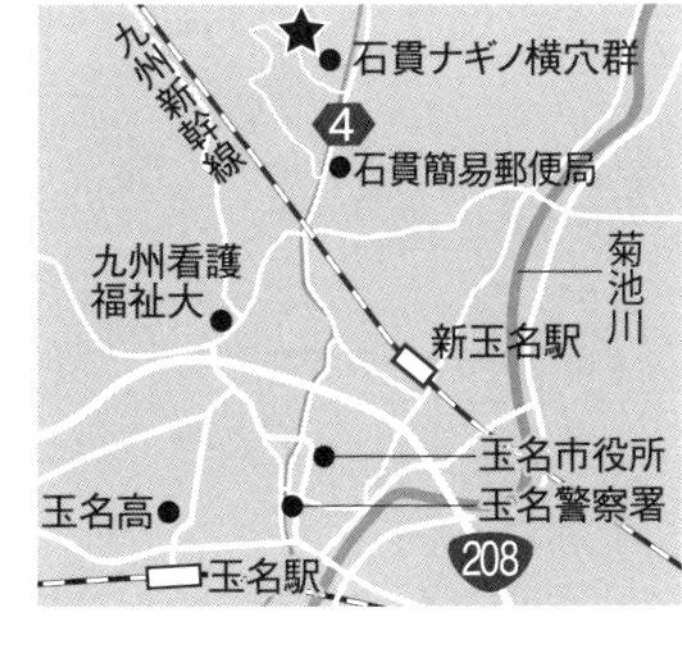

3基の横穴の中央が観音様のレリーフがある2号墓。いずれもコウモリよけのネットが置いてありますが、中の見学はできます

そして、「横穴自体をもっと後の時代と考える説もありますが、横穴が先で、後になって誰かが観音様を彫ったと考えるのが自然ではないでしょうか」とのことです。

では、この横穴が後世の改変を受けていたとすれば、価値は低くなるのでしょうか。

大倉さんは、「この観音様は彫られてから千数百年たっていることに加え、破壊行為ではなく、当時も信仰の対象だったと考えられる横穴に仏像を彫ったもので、地域の人々の信仰の変遷を教えてくれる文化財としての価値は変わりません」と言います。

そして、「人物や武具、幾何学模様などを施した横穴墓は数多くありますが、観音様が彫ってある横穴は他にありません」と強調します。穴観音横穴の麓には室町時代に「安世寺」という臨済宗のお寺があったそうです。やはり横穴が信仰の対象だったのでしょう。寺はなくなりましたが、五輪塔などが残っています。

横穴への急な階段を上ると正面に拝殿が設けてあり、今も人々の心のよりどころであることが分かります。地元の住民が丁寧に清掃を続けているそうです。大倉さんは「考古学的な面は言うまでもありませんが、地元の人々が大切に守り続けていることが、この横穴の最大の価値だと思っています」と話してくれました。

【メモ】

安世寺は１４６１（寛正２）年、菊池氏一族の藤原為安が開いたと伝えられています。穴観音横穴の麓には歴代住職の五輪塔（墓）などが残り、市の史跡に指定されています。

〈あさぎり町＝県指定史跡〉

才園古墳群（さいぞんこふんぐん）（2019年4月20日付）

金メッキの銅鏡が出土　強い勢力持った一族か

くま川鉄道のおかどめ幸福駅から線路沿いに西へ向かい、500メートルほどの所にある踏切を渡ると、なだらかな上り坂になります。

途中で見えてくる大きな石組みが今回ご紹介する才園古墳群の2号墳です。古墳時代後期、6世紀後半ごろのものとみられます。

幅2・1メートル、奥行き2・2メートルほどの横穴式石室が屋根に覆われています。旧免田町史によると、元は長径12メートルほどの円墳だったとみられますが、残念なことに1938（昭和13）年の公民館分館建設造成工事を機に、現在は石室がむき出しの状態になっています。

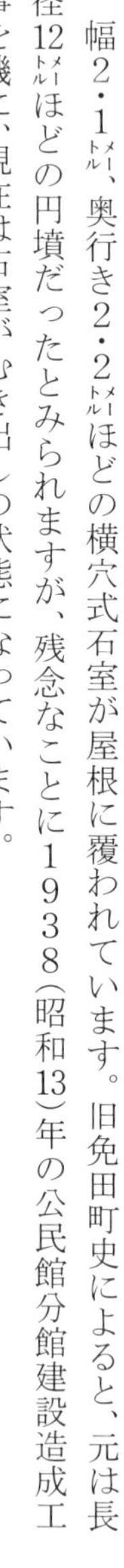

ところがその際、石室の内外から、鏡や馬具、刀、土器などの副葬品が大量に出土。71点がまとめて1958（昭和33）年に国の重要文化財指定を受けました。

中でも関係者を驚かせたのが、直径が約11・7センチの、中国で作られた「鎏金獣帯鏡（りゅうきんじゅうたいきょう）」でした。

「この鏡は持ち主の幸福を願う文字や獣神などの装飾が施された背面が、分厚い金メッキで覆われていました」とあさぎり町教育委員会教育課の秋元めいさん。「割れたりしていない金メッキの鏡は、

才園古墳群2号墳

国内ではほかに福岡県糸島市と岐阜県大野町の古墳で出土した２例があるだけ」という貴重品です。

中国・江南地方で製作されたとみられ、時代は５世紀ごろから弥生時代末期の３世紀ごろまでさかのぼる可能性もあるそうです。

「２号墳から人骨は出土していませんが、血縁関係を持つ複数の人物が追葬された可能性も高いといえます」と秋元さんが言います。金の装飾を施すなどした馬具は、全部で８セットもあったそうです。そんな豪華な馬具や鏡が、なぜ球磨盆地にやって来たのでしょうか。

まず、獣帯鏡の持ち主を、近畿の中央政権とつながる強い勢力を持ち、その証しとして鏡を受け取った一族とする見方があります。

一方で、金メッキの鏡が近畿地方ではあまり見つかっていないことなどから、中央にあらがった熊襲(くまそ)の一族で、中国との直接交流ルートもあったのではないかとみる説もあります。

秋元さんは宮崎県延岡市出身。子どものころから考古学に憧れて琉球大で学芸員の資格を取り、２０１７(平成29)年４月に、あさぎり町教委に入りました。

才園古墳に埋葬された人物について、秋元さんは、「鎏金獣帯鏡や他の出土品が入ってきたルートなどを、よその遺跡の出土品と比較しながら詳しく調べて明らかにしたい」と意気込みを語ってくれました。

【メモ】
国の重要文化財指定を受けた鎏金獣帯鏡などの出土品は、寄託先の熊本博物館に展示されています。

〈水上村＝村指定史跡〉

千人塚古墳群（せんにんづかこふんぐん）

（2022年3月19日付）

かつては74基の古墳確認　熊本などの横穴式石室も

水上村湯山の本野（もとの）地区。人吉盆地の東の奥に位置し、宮崎県境にそびえる市房山から延びる尾根筋に千人塚古墳群があります。水上村教育委員会の荒嶽雄一さんと一緒に現地を訪れました。

湯山の集落を過ぎて国道３８８号から南に入り、なだらかに続く本野の棚田の間を上ります。湯山温泉よりさらに１５０㍍ほど高い標高４７０㍍前後の辺りに、小規模な古墳が点在していました。荒嶽さんが「古墳群は古くから知られ、かつての調査では大小74基の円墳を確認したという記録があります。しかし、戦後の農地開拓事業で重機が入り、多くが削られてしまいました」と言います。

村教委が村誌編さんのため２００９（平成21）年から6年がかりで実施した調査では、現存する15基のほかに道路の下と開拓で埋められたものと1基ずつあることが聞き取りで分かりました。残っていた古墳の場所は尾根北側の斜面沿いだったことが幸いしたようです。「田や畑に開拓された辺りには大きな円墳が７基あったと伝わっています」と荒嶽さん。

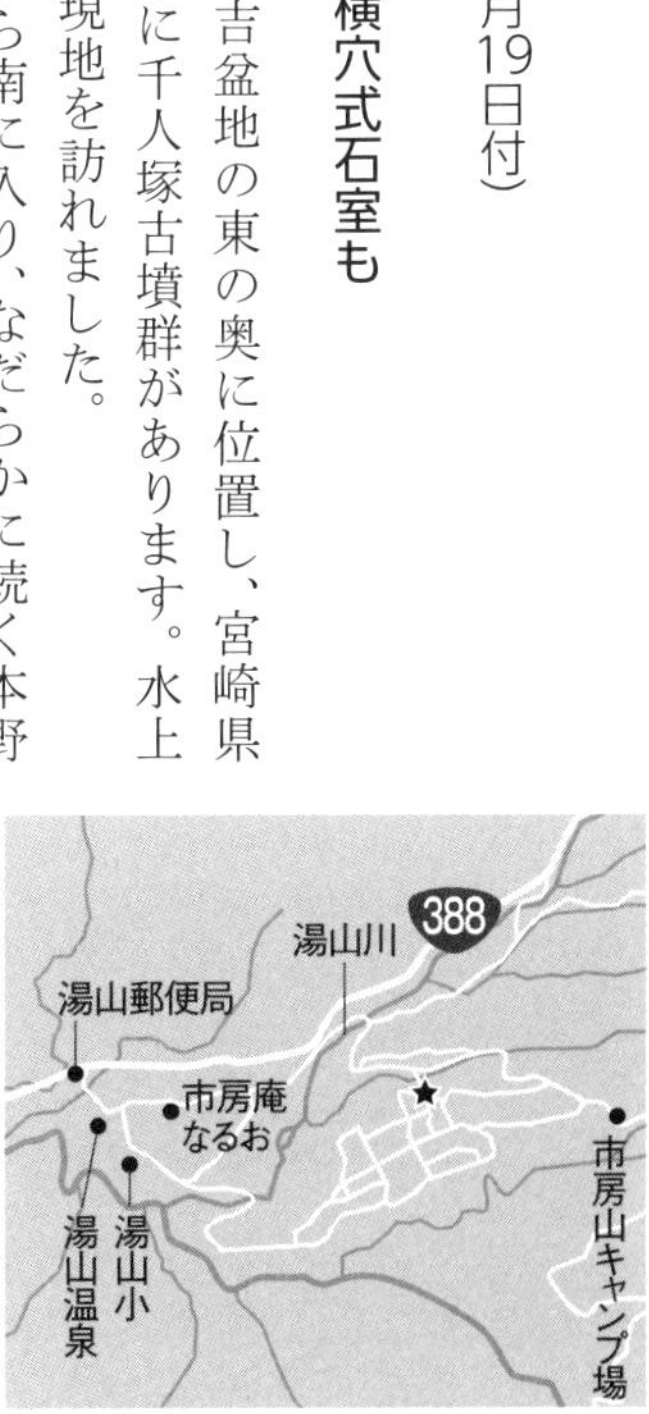

現存する15基は直径が６㍍から10㍍、墳丘の高さは１㍍から２㍍ほど。村道沿いに立つ案内板の奥

2013年に9号墳の石室周辺で実施された発掘調査の様子（資料写真）

の6号墳からは、発掘調査で土師器や須恵器の破片などが大量に出土。その特徴などから、古墳群は6世紀半ばから7世紀初頭ごろのものとみられるそうです。

水上村出身で村教委の調査に参加し、村誌編さんにも携わった出合宏光さん＝相良村職員＝は、「弥生土器の流れをくむ土師器に対し、須恵器は朝鮮半島から伝わった登り窯の技術で焼きます。球磨地方で当時の窯跡は見つかっておらず、出土した須恵器は外部からもたらされたと考えられます」と言います。

15基の中で唯一、主体部の石組みが露出していた9号墳にも築造者を考えるヒントがあるそうです。「石組みは奥壁や両側壁の石で幅約1・3㍍、奥行き約1・7㍍の玄室を造り、横からの入り口を扉石でふさぐ横穴式石室でした」と出合さん。

古い古墳などの竪穴石室は、上から掘った穴に棺を下ろして周囲に板石を積み上げ、天井を大石でふさいだ後は出入りできません。これに対し横穴式は、扉石を開けて追葬もでき、「北部九州や熊本など当時の先進技術を持つ集団が来て造ったと考えられます」と出合さんが言います。

ただ、この時代の球磨地方の古墳が北部九州や熊本タイプばかりだったわけではありません。多良木町にある6世紀後半の赤坂古墳は、地面に穴を掘ってから横穴の石室を造った半地下式で、宮崎に多い構造。また、石室の床が四角形ではなく多角形で、鹿児島の要素もうかがえるそうです。当時の球磨地方は各地の人や文化が混在する土地だったようです。

古墳群から西に目をやると、湯前町や多良木町辺りまで見渡すことができました。荒嶽さんに案内してもらいながら、「古墳に眠る集団は、あの辺りまで拠点にしていたのだろうか」などと思いを巡らせました。

【メモ】

水上村教委の発掘調査では9号墳の石室部分も発掘し、副葬品とみられる鉄刀や鉄の矢尻などのほか、金箔(きんぱく)を施したとみられる銅の耳環も出土。土師器や須恵器などと一緒に水上村岩野公民館に展示されています。

〈山鹿市＝国指定史跡〉

鍋田横穴群（なべたよこあなぐん）（2018年12月1日付）

古墳時代後期の葬送　社会の変化を反映か

山鹿市中心部から国道443号で西に向かい、菊池川支流の岩野川を渡ってすぐ北にある凝灰岩台地の崖に、人が中腰で入れるくらいの横穴がいくつも並んでいます。

今から1400年ほど前、6世紀後半から7世紀前半ごろの古墳時代後期のものとみられるお墓の集まりです。「約500メートルにわたって61基の横穴が確認され、そのうち16基の入り口などに浮き彫り（レリーフ）や線刻の装飾があります」と山鹿市教育委員会社会教育課の佐治健一さん。

橋のたもとから川沿いに下りてすぐの「第27号横穴」には入り口の左側に弓を持つ人物や矢を入れる靫（ゆぎ）、盾、馬など多彩な絵が描かれ、この横穴群を代表するレリーフ装飾です。入り口には穴を掘ったノミの跡がくっきりと残ります。

佐治さんは名古屋市出身。大学で考古学を学び、奈良市役所に勤めていましたが、「10年ほど前に休暇で鍋田横穴群を訪れ、実物の迫力に感動して山鹿市に転職しました」という情熱的な研究者です。

第27号横穴は墓室の幅が約2・5メートル、奥行き2メートル、高さ1・5メートル。他の横穴もそうですが、天井は古墳

入り口左側に弓を持つ人物などのレリーフが描かれた鍋田横穴群第27号横穴

の石棺に見られる屋根形に仕上げられ、家に見立てたようです。横穴群は死者の集合住宅というところでしょうか。葬られたのは豪族ではなく、農業で裕福になった「有力な家族」とみられるそうです。

佐治さんは「この時代には豪族を介した間接支配から中央政権の直接支配が有力家族層に及ぶようになり、こうした横穴が増えていったと思われます」と言います。

第27号横穴からわずか1キロほど北にあるチブサン古墳は、鍋田横穴群より早い6世紀前半の装飾古墳です。内部の石棺に赤、白、黒の彩色で幾何学模様が描かれ、石人が古墳を守っていました。

彩色と石人という特徴は、いずれも北部九州を勢力下に収めていた筑紫君磐井（ちくしのきみいわい）の文化圏で多く見られるものです。磐井は6世紀前半に中央政権と戦って敗れており、山鹿においても大きな政治的・社会的変化が起きたことが、葬送の形の変化からもうかがえます。

鍋田横穴群は、いずれも木製のふたが朽ち果てたとみられ、内部に人骨や副葬品などはありませんでした。ただ、佐治さんは「崩落した土砂に埋もれた横穴も多いとみられ、全体で少なくとも100基以上あると思われます」と言います。

「今後の調査で、副葬品などの遺物が残る横穴が見つかるかもしれません」。佐治さんが目を輝かせました。

【メモ】
鍋田横穴群はチブサン古墳などとともに、国の文化財保護制度ができて3年後の1922(大正11)年に国史跡に指定されました。当時の研究者や地元の熱意が伝わります。

〈錦町＝県指定史跡〉
京ガ峰横穴群（2020年1月18日付）

きょうがみねよこあなぐん

群雄割拠だった球磨盆地　水運をつかさどる一族か

川辺川と球磨川の合流点の南岸近くにある崖の中腹に、今回の京ガ峰横穴群があります。阿蘇の溶結凝灰岩でできた北向きの岩壁に、横穴墓が2基残っています。

西側の1号墓は入り口の右側に、矢を入れて背負う大小2個の靫（ゆぎ）、左側に盾と剣などが、精巧なレリーフ（浮き彫り）と赤の彩色で表現されています。

「入り口に彫刻を施す横穴墓は、熊本県に多い文化で、菊池川沿いの玉名市や山鹿市に集中し、あとはぽつんと離れて人吉・球磨に3カ所あるだけです」と、案内してくれた錦町企画観光課の手柴智晴さんが教えてくれました。

造られたのは6世紀後半から7世紀初めごろ。玄室の屋根の四隅の掘りが緩く、ドーム状になっていて、菊池川流域の横穴群より後の時代のものとみられるそうです。

一方、入り口の靫は大きい方に4本、小さい方に6本の矢が描かれ、盾には上下にひし形模様が連なっているのが分かります。いずれも、浮き彫りにした凸と凹の部分をベンガラで塗り分けるなど高度なデザインで、手柴さんは「装飾横穴群の中で一番」と思っているそうです。

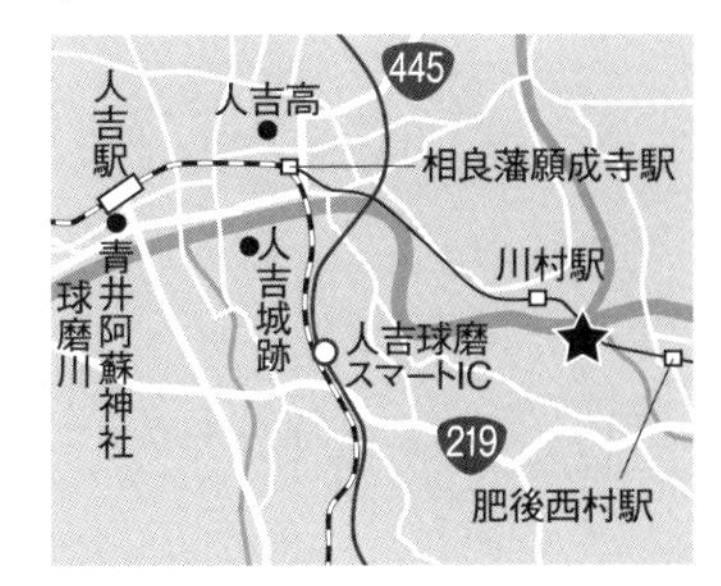

また、被葬者については、玄室の造りや装飾の性質などから「人吉市の大村横穴群(国指定史跡)と関係があり、この辺りを治めた豪族ではないか」と言います。

「球磨盆地は南麓の山々から球磨川に流れ込む支流で土地が3～5キロおきに仕切られ、それぞれに首長クラスの豪族がいたとみられます」と手柴さん。その根拠が、地域ごとに異なる埋葬方法です。

「京ガ峰は、県北を拠点とする在地色の強い装飾横穴文化ですが、約3キロ東の亀塚古墳群は球磨盆地で唯一の前方後円墳で、畿内政権とつながっていたようです」と手柴さん。また、あさぎり町にある円墳の才園古墳からは中国製とみられる金メッキの鏡などが出土し、中国との関係が深かった勢力との関わりがうかがえます。

手柴さんは「中央政権にあらがった熊襲と球磨地方の関係を説く見方もありますが、埋葬文化から見る限り、球磨盆地は群雄割拠。それぞれが優位性を示すために中央などとの関係づくりを競ったのではないでしょうか」と話します。

京ガ峰横穴群の1号墓の入り口。右側に赤い顔料が残る大小の靫が浮き彫りされています

古墳などは、自らの支配地域を見渡す場所に造る例が多いようですが、不思議なことに京ガ峰横穴群の岩壁は北向きで正面は球磨川と川辺川の合流点。土地は見渡せません。

このことから、手柴さんは「被葬者は球磨川の水運をつかさどる一族ではなかったか」とみているそうです。そう考えれば、玉名や山鹿の菊池川流域を中心に分布する装飾横穴墓が、球磨川をさかのぼって人吉・球磨に現れた理由も合点がいきます。

【メモ】
凝灰岩は乾燥に弱いそうです。北向きで球磨川からの湿気もある京ガ峰は保存状態が良く、赤の彩色もまるで数十年ほど前に補修したかのように見えます。

〈氷川町＝国指定史跡〉

大野窟古墳（おおのいわやこふん）

（2022年1月8日付）

玄室の天井高は国内最高　熊本地震で石室内に被害

氷川町の国道３号に面した台地上に４基の前方後円墳が集まる野津古墳群から少し離れ、北へ約１・５キロのところに今回ご紹介する大野窟古墳があります。

「室町時代から石室の入り口が開き、古墳であることは知られていましたが、熊本地震で内部が傷んで今は中に入れません」と氷川町教育委員会生涯学習課の畑野光昭さんが残念そうに教えてくれました。

古くから墳丘が削られるなどして、当初は直径40メートルの円墳とみられていました。ところが、保存整備に向けて２００３（平成15）年から5年がかりで実施された発掘調査で、元は後円部の直径が70メートル、全長が１２３メートルという県内最大級の前方後円墳だったことが分かりました。

さらに特筆すべきは内部の横穴式石室の規模です。石室最奥部の、被葬者が眠っていた玄室は幅３メートル前後で奥行きが5メートル余。そして床から天井までの高さは６・５メートルもありました。文化庁の文化財データベースを見ると、天井高は国内で最高とされています。

「６・５メートルというと、２階建て住宅の吹き抜けの玄関から2階の天井を見上げるような感じでしょう」

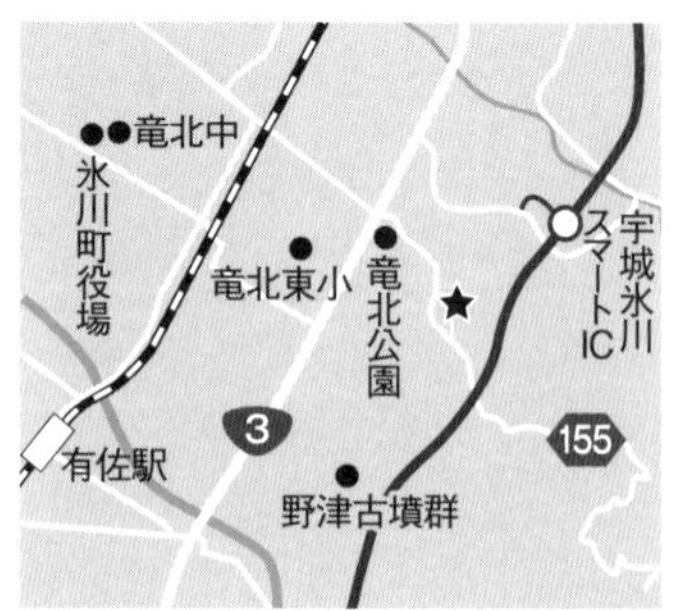

石室入り口側から見た玄室内部。下の石棺の上を覆うように石の棚が掛け渡してあります。石室内部には彩色装飾の跡もありました（資料写真、2013年撮影）

と畑野さん。奈良県明日香村にある蘇我馬子の墓と伝わる石舞台の玄室高が4・7㍍ですから、その規模が分かります。被葬者はどんな人物だったのでしょうか。

大野窟古墳の築造時期は、出土した朝鮮半島系の陶質土器や石室の特徴などから古墳時代後期の6世紀後半とみられています。一方、八代海や有明海を拠点にする「海の民」だった火の君一族の墓とみられる野津古墳群は、少し早く6世紀初めから半ばにかけて相次いで築かれています。

大野窟古墳は、古墳外周の構造が朝鮮半島南西部の前方後円墳と類似。また、野津古墳群でも陶質土器のほか、朝鮮半島系の金の耳飾りも出土し、直接的な交流があったことをうかがわせます。そして、いずれの古墳でも6世紀前半、527年に起きた磐井（いわい）の乱で滅びた筑紫君（ちくしのきみ）磐井との関係を示す石製表飾が出ています。

こうした共通点の一方で、はっきり異なるのが古墳の立地条件です。古墳は、被葬者が支配したり、活動の拠点にしたりした場所を見渡す場所に築かれる例が少なくありません。

野津古墳群は標高100㍍余りの台地西端に位置し、かつてはすぐ近くに海岸線があった海を見渡すことができていました。「環八代海」の宇土半島や大矢野などにある古墳も、海に面しているものが多く、海を舞台に活躍した集団のつながりを思わせます。

ところが、大野窟古墳がある場所は野津古墳群と同じ台地上でも谷筋に沿って東に回り込んだ標高50㍍ほどの場所で、海は見えません。また、古墳が小型化していく古墳時代後期に、巨大な玄室を持つ県内最大級の前方後円墳が築かれたのも大きな謎です。

「石室の入り口が古くから開いて副葬品も見つかっておらず、2003（平成15）年からの調査でも石室の発掘は実施されていません」と畑野さん。被葬者に直接つながるような手掛かりは、今後の調査待ちのようです。

【メモ】

2016年の熊本地震で石室の石材が割れて落下したり、ずれたりする被害が出ました。氷川町教育委員会は、「現時点で復旧工事は難しい」との専門家会議の見解に基づき、立ち入りを制限して経過観察と維持管理を続けています。

〈人吉市＝国指定史跡〉

大村横穴群（おおむらよこあなぐん）（2022年6月18日付）

古墳はチームフラッグ？　人吉球磨は南の〝最前線〟

「古墳」というと、一般に円墳や前方後円墳など盛り土した墳丘内に死者を葬る高塚古墳をイメージします。今回ご紹介する大村横穴群は岩の崖に穴を掘った横穴墓ですが、人吉市教育委員会文化課の手柴友美子さんが「横穴墓も古墳時代のお墓の形態の一つです」と教えてくれました。

ＪＲ人吉駅の北に接する村山台地。約9万年前の阿蘇火砕流堆積物が固まった厚さ30メートル余りの凝灰岩の崖に、確認できるだけで26基の横穴が残っています。羨門（せんもん）から入って奥の玄室は、内部を家形やドーム形にくりぬいてあり、遺体を置く区画があります。

26基のうち8基には羨門の周囲に円文や三角文、剣、盾、矢を入れる靫（ゆぎ）、馬などの装飾が刻まれ、装飾横穴墓とされます。時期は古墳時代の終わりに近い6世紀後半を中心に造られたとみられるそうです。

「古墳はその形や副葬品に意味があって被葬者の権威を表すとされるほか、その集団がどのような勢力と関係を持つかを示すチームフラッグのような役割もあったのではないかと思います」と手柴さんは言います。

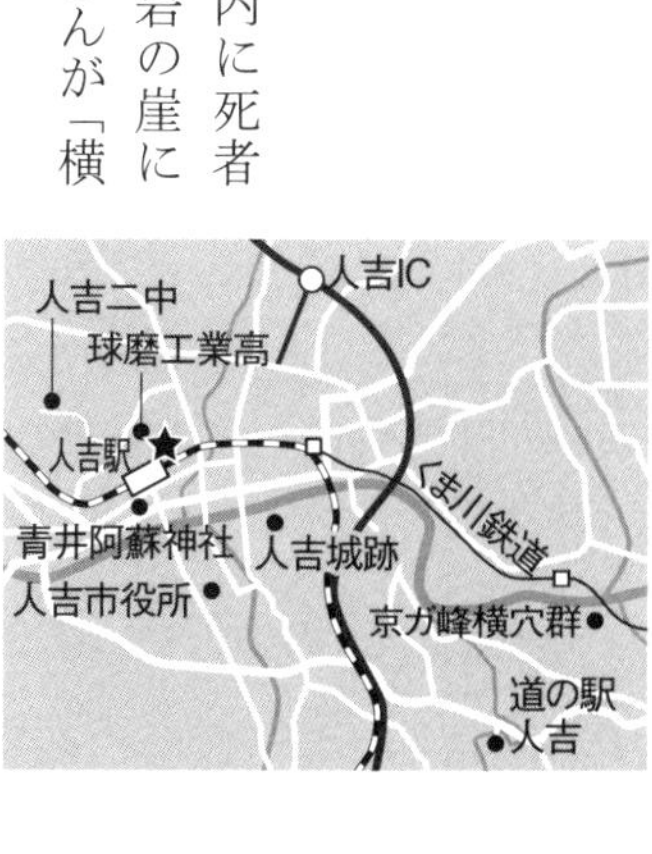

村山台地の南向きの崖に、東西約800㍍にわたって26基の横穴墓が横一列に残る大村横穴群

「古墳や横穴墓は東北や南九州を除く全国にあり、それらは畿内のヤマト政権の勢力圏に分布していると考えられています。形にはいろいろな種類があり、同じ形のお墓を造ることで互いの連携を示していた可能性があります」

人吉球磨には古墳時代の多様な墓制が混在します。人吉市の球磨川北岸段丘上にある荒毛遺跡は弥生時代から古墳時代の墓域で、地面に掘った穴に遺体を直接埋める土壙(どこう)墓から一転して、古墳時代に入ると板石積石棺墓が群集して造られます。石棺と墳丘が合体したような独特の造りで、人吉球磨地域から宮崎県えびの一帯と、芦北から鹿児島県北西部に多くみられます。

また球磨川南岸の人吉市七地町にある天道ケ尾遺跡からは、九州自動車道建設に伴う発掘調査で、地面に竪穴を掘ってから横穴の玄室を造る地下式横穴墓が発見され、宮崎からの影響がうかがえます。一方、その対岸には横穴式石室をもつ円墳の鬼塚古墳があります。隣の錦町にある亀塚古墳群は九州西部で最南端の前方後円墳とされます。

手柴さんは「人吉球磨は弥生時代から多様な文化が見られ、古墳時代の多様性も弥生時代が土台になったのかもしれません。人吉球磨はそうした多様な集団が混在しつつも、大きな枠組みでは国の統一を目指すヤマト政権にとって南の〝最前線〟を担う地域だったのではないか」と考えているそうです。

弥生時代後期の免田式土器が専門の手柴さんは、「縄文土器や弥生土器は各地域の環境や生活スタイルに応じて実に個性豊かでしたが、古墳時代に入ると全国統一的な、いわゆる土師器（はじき）に変わります」と言います。

埋葬や土器などの日用品といった、いわばプライベートな部分にまで統制が及び、各地域もそれに従うという現象は、弥生時代までと異なる大きな変化だったと考えられるそうです。

手柴さんは「人吉球磨にみられる古墳時代の多様な墓制は、日本という国の誕生に向けたこれまでにない大きな時代の波を、人吉球磨の人々が敏感に察知していた証しとも言えるかもしれません」と話します。

【メモ】

県内の装飾横穴は菊池川水系に多く残っています。大村横穴群や錦町の京ガ峰横穴群は、装飾や玄室の構造などから、山鹿市の鍋田横穴群といった県北地域とのつながりがみられるそうです。

〈熊本市北区＝国指定史跡〉

釜尾古墳（かまおこふん）（2022年3月5日付）

南北の装飾文化の結節点　巻貝を模した双脚輪状文

　熊本県は、全国で700基ほどの装飾古墳のうち最も多い約200基が集まる「装飾古墳県」です。その中で、1921（大正10）年に井寺古墳（嘉島町）や千金甲1・2号墳（西区）などと一緒に国史跡に指定された釜尾古墳を、熊本市文化財課の三好栄太郎さんと田邊翔さんに紹介してもらいました。

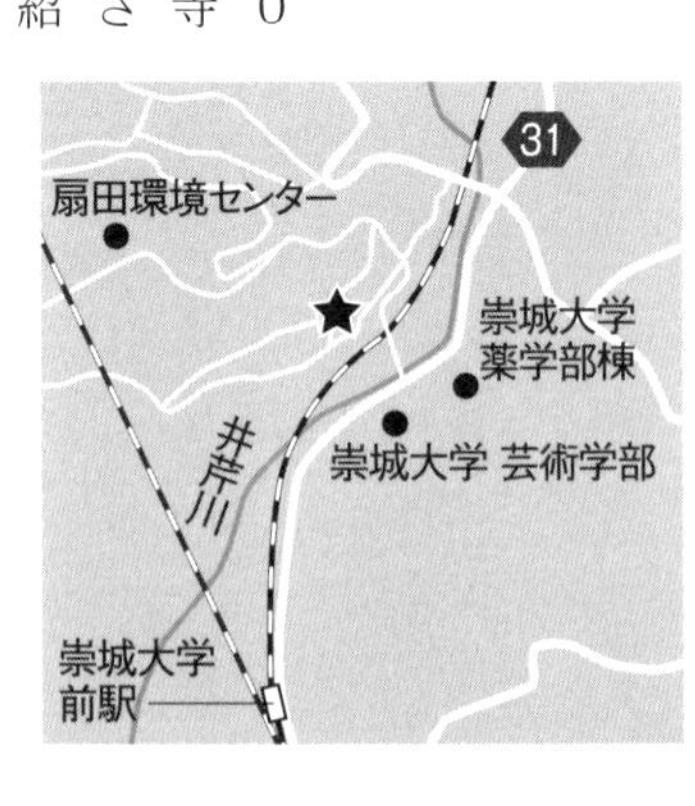

　古墳は、井芹川を挟んで北区徳王町の崇城大芸術学部の対岸に迫る釜尾丘陵の突端近くにあります。「6世紀ごろの古墳で墳丘はかなりなくなっていますが、1990（平成2）年の調査で直径30㍍を超す円墳だったことが分かりました」と三好さん。2016年の熊本地震で墳丘が崩れましたが、保存・活用担当の田邊さんは「石室内は比較的健全とみられ、修復方法を検討中です」と言います。

　「肥後国誌」には、1769（明和6）年にこの古墳が見つかったことが出ていて、石室内部の奥を赤く塗って「桔梗（ききょう）の紋」が描かれており、古い寺の食料貯蔵庫だったのではないか、と書かれています。

　その「桔梗紋」が、考古学の世界で「双脚輪状文」と呼ばれる彩色装飾でした。とげに囲まれた円文から2本の脚が伸び、三好さんが「沖縄などの海にいるスイジガイを模したものという説があります」と教えてくれました。

大人のこぶしほどの巻き貝で、貝殻から突き出た6本の角が「水」の字のように見えるのでスイジガイ。大昔から火よけ、魔よけの力があるとされ、沖縄地方では今も玄関先につるすそうです。

釜尾古墳では被葬者を安置する石屋形の奥や左右の壁に双脚輪状文が描かれていました。当時の琉球からスイジガイやその文化が伝わるルートがあったのでしょうか。

熊本県の装飾古墳は4世紀の終わり、石室に円文を一つ刻んだ八代市の小鼠蔵（こそぞう）1号墳が最古とされ、八代海周辺に線刻・彫刻の装飾古墳が広がります。同時に、四角い石室内を石の板で仕切って複数の遺体を安置できるようにし、壁面の割石を少しずつずらしながら積み上げて、天井を角のないドームにする肥後型横穴式石室も発展します。

過去の調査で描かれた石室奥壁の装飾の模写図。下部に双脚輪状文が3点描かれています（熊本県教育委員会提供）

「その装飾古墳文化が宇土半島基部を経て熊本平野へと北上し、さらに6世紀になると菊池川や筑後川の流域で色彩豊かな装飾が花開きます」と三好さん。

その中で5世紀の千金甲1号墳や井寺古墳は肥後型横穴式石室を持ち、装飾は彫刻と豊かな彩色を併用。また、6世紀の釜尾古墳の石室や装飾は、熊本平野タイプをベースに菊池川流域の要素が入っています。三好さんは「熊本平野は、南と北の文化の結節点として装飾古墳文化が発達する中で重要な場所だったと思います」と言います。

標高60㍍余りの古墳の前から、井芹川の東の京町台地や立田山、さらには阿蘇まで一望できました。三好さんが「円墳だったことや規模を考えると、被葬者は井芹川や白川下流沿いの平野を治めた有力な地方豪族ではなかったかと思います」と教えてくれました。田邊さんは「地震被害の復旧は前例がありませんが、貴重な装飾の劣化を防ぎながら後世にきちんと残したい」と話しています。

【メモ】
その後、古墳の北、東、南に確認されていた周溝跡などの部分が２０２２（令和４）年に国史跡に追加指定され、史跡面積は約１７８平方㍍から約１１１６平方㍍に広がりました。双脚輪状文の装飾古墳は、釜尾古墳から北に植木町の横山古墳（山鹿市の県立装飾古墳館に移設）、福岡県の弘化谷古墳（広川町）、王塚古墳（桂川町）などが点在しています。

〈御船町＝町指定史跡〉

今城大塚古墳（いまじょうおおつかこふん）（2022年5月21日付）

築造は装飾古墳の終末期　石室に県北と県南の特徴

御船町の中心部を流れる御船川左岸には、標高差20㍍ほどの台地が迫っています。台地のへり近くに古墳が点在し、その中の一基が今回ご紹介する今城大塚古墳です。御船町教育委員会の上坂暖子さんが「墳丘はかなり変形していますが、横穴式の前方後円墳です」と教えてくれました。

現在の全長は30㍍ほど。2015（平成27）年の豪雨で封土が崩れ、翌年の熊本地震では墳丘に亀裂が入って保護するためにシートで覆われています。「地震で後円部西側の石室入り口も崩れて中を確認できませんが、この古墳は御船町で唯一見つかっている装飾古墳です」と上坂さん。「肥後国誌」には甘木荘陣村の「座敷塚」と出ていて、石室内の様子を「（玄室奥の）大石ヲ壁ニシテ朱ニテ塗リ蛇ノ目ノ紋三ツ付タリ」と記してあります。

大正時代の京都帝大や昭和40年代後半の県教委の調査では、赤の円文のほか、矢を入れて運ぶ靫（ゆぎ）や盾などとみられる彩色文様が確認されました。壁画系の彩色装飾は、嘉島町の井寺古墳や山鹿市のチブサン古墳など、熊本平野以北の装飾古墳との関連がうかがえます。

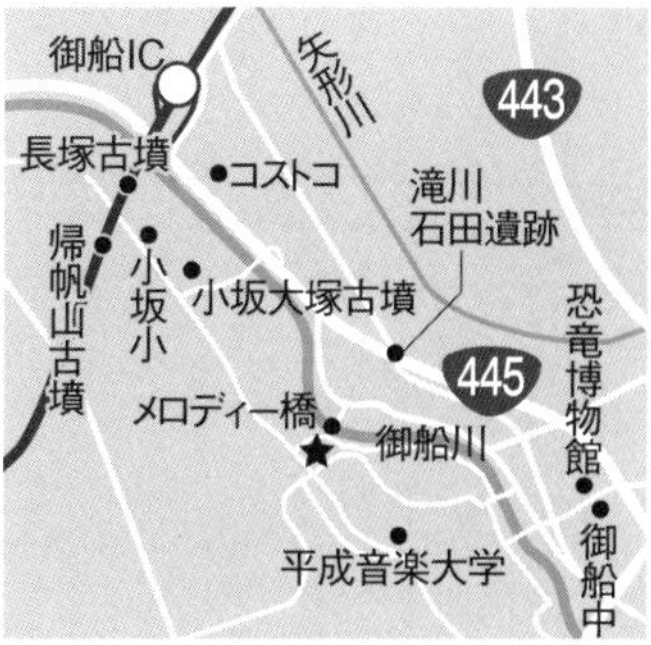

熊本地震で被災する前の今城大塚古墳石室内部。側壁の腰石に棚のような石が掛け渡してあります。L字形のかぎ込みのある奥壁には彩色の装飾が施されていました（熊本県教育委員会提供）

一方で石室の構造は、玄室の床が長方形で側壁の奥の腰石に棚のような石を掛け渡してあります。また、石材にL字形のかぎ込みがあり、玄室を四角錐（すい）の上部を切ったような形にする組み方なども氷川町の大野窟（おおのいわや）古墳の流れをくむそうです。

このため、今城大塚古墳は肥後北部と南部の古墳の特徴を併せ持つ古墳とされます。石材が大野窟より大型で少し後の時代であることを示すことや、装飾の文様などから今城大塚古墳の築造は6世紀後半とされています。上坂さんは「装飾古墳の終末期に当たる貴重な古墳です」と言います。

この古墳にはもう一つ特色があります。近くで同じ時代の人々が暮らした集落跡（滝川石田遺跡）が見つかったことです。古墳がある台地上から見下ろす辺りの国道445号バイパス工事に伴い、2009（平成21）年度から実施された3カ年の発掘調査で分かりました。

滝川地区のバイパス交差点付近で古墳時代後期の5世紀末から6世紀後半を中心に、49軒の竪穴建物跡や須恵器などの生活用具が出土しました。このうち17軒の竪穴住居跡は今城大塚古墳の時代と重なるそうです。被葬者は集落の首長だったのかもしれません。

それより早い時期の住居跡も、台地を通る九州自動車道のルート上にあった長塚古墳（前方後円墳、6世紀初めごろ）や帰帆山（きはんざん）古墳（円墳、6世紀前半）とのつながりがあるとされます。また、この遺跡の集落とは時期がずれますが、直径54メートルと県南最大規模の円墳の小坂大塚古墳（4世紀末）からは短甲も出土し、中央政権との関係もうかがえます。

上坂さんは「当時、この台地の下の御船川に橋はなく、通うのは大変だったと思いますが、この辺りは数多くの古墳が造営されるほど豊かだったことが分かります」と話しています。

【メモ】 被災した今城大塚古墳は墳丘の修復方法などの検討が続き、古墳本来の形状や大きさなどを調べるための調査も実施されました。

古代

鞠智城跡（きくちじょうあと）

〈山鹿市・菊池市＝国指定史跡〉

（2022年12月17日付）

唐・新羅の侵攻への備え　百済の亡命高官が築城か

鞠智城は今から約1350年前の白鳳時代、山鹿市菊鹿町と菊池市にまたがる米原（よなばる）台地にヤマト政権が築いた古代山城です。今は標高150㍍近い台地をこんもりした樹木が覆っています。

当時のヤマト政権は、関係が深かった朝鮮半島の百済が唐と新羅の連合軍に滅ぼされたため、復興の援軍を送りますが、663年に白村江の戦いで大敗。逆に日本が侵攻の脅威にさらされることになります。「その一大国難に備え、百済の亡命貴族らの指導で西日本各地に大急ぎで築いた城の一つが鞠智城です」と、熊本県教育委員会文化課主幹の矢野裕介さんが教えてくれました。

日本書紀によると白村江の翌年、筑紫に水城（みずき）を築き、その翌年には百済高官の憶礼福留（おくらいふくる）らに大宰府を守る大野城（福岡県）と基肄城（きいじょう、福岡県・佐賀県）を築かせています。矢野さんは「大宰府から約60㌔の鞠智城も同じころの築城と考えられます」と話します。

南東から見た鞠智城跡全景（熊本県教育委員会提供の写真に一部加工）

鞠智城は史跡区域だけで周囲約３・５キロ、面積が55ヘクタールあり、地形を生かした土塁は土を少しずつ重ねてつき固める朝鮮式の版築工法で築かれています。高台に開けた長者原地区を中心に米倉や武器庫、兵舎、官舎など72棟分の柱穴跡や礎石などが出土。全国の古代山城で唯一、八角形の建物跡が２カ所見つかり、南側の分が八角形鼓楼に復元されています。

大野城や基肄城は標高４００メートルほどの山中にあり、籠城を念頭に置いたようです。一方、鞠智城は低い台地で米倉や武器庫などが多く、兵站（へいたん）機能があったと考えられます。

しかし、１９９９（平成11）年度から19年間、鞠智城の発掘調査などに従事した矢野さんは「３基見つかっている城門跡は南側に集中しており、兵站だけでなく南を意識した攻守兼用の城だったと思います」と言います。

３基のうち中央の堀切門は、自然の谷の岩壁を削るなどして掘り下げた急斜面のクランク奥にあり、熊本城などの虎口を思わせます。門の礎石は幅約３メートル、奥行き約１・８メートルの花こう岩。その両脇に立てられた門柱は直径40センチもあったようで頑丈さがうかがえます。

城の南を流れる菊池川は水運が盛んで、近くを古代官道も通ったとみられる交通の要衝でした。矢野さんは「弥生時代から稲作で栄えた玉名平野や菊鹿盆地などの米が集まるだけでなく、軍事物資や兵員輸送にも使われたかもしれません」とした上で、「有明海からは離れていますが、唐・新羅の軍が大宰府の背後を狙って有明海に入ってくればのろしですぐに伝わり、打って出ることも想定したはず」と考えるそうです。

２００８（平成20）年には、矢野さんが発掘を担当していた貯水池跡の、水量を調節する池尻部分から、7世紀後半とみられる百済系の小さな菩薩立像が出土しました。「頭を西に向け、丁寧に仰向けに埋めてありました。何らかの祭祀跡ではないかと思います」と矢野さん。

築城は突貫工事だったはず。それを指揮した百済の高官、もしかすると憶礼福留が工事の完成を祈願して持仏を埋めたのかもしれません。

【メモ】

「鞠智」の名が初めて文献に登場するのは「続日本紀」の698年の条で、「大宰府に大野、基肄、鞠智の3城を修理させる」とあります。9世紀には米倉などの火災の記録があり、大量の炭化米も出土しています。879年の「菊池城院の兵庫（武器庫）の戸がひとりでに鳴った」（日本三代実録）を最後に鞠智城は文献に登場しなくなります。

〈熊本市北区〉＝未指定文化財〉

立石遺跡群（たていしいせきぐん）

（2020年4月18日付）

北熊本SAそばの発掘現場　古代官道の駅の可能性も

熊本市北区改寄町にある九州自動車道北熊本サービスエリアの西に位置する立石地区は、かつての飽田郡と合志郡、山本郡の境に当たります。3郡の境を示す石が立っていたことが地名の由来だそうです。

その立石地区で1993（平成5）年以降、数次にわたる発掘調査が続いています。その第8次調査を担当する熊本市文化財課調査第3班の岡田有矢さんが、「ここは、古代の大宰府から南下してきた官道の西海道駅路が通り、その高原（たかはる）駅が置かれた場所ではないかとみる説があります」と教えてくれました。

大化の改新後、朝廷は全国の道路網整備を急ぎます。都の周辺以外の地域に東海道、東山道、北陸道、山陰道、山陽道、南海道、西海道の7道（広域行政区）を置き、都と各地方を結ぶ「駅路」を造りました。いわば当時の高速道路です。西海道が今の九州です。

駅路には規格があり、道幅は12㍍で16㌔ごとに「駅」を置き、乗り継ぎの馬を、重要な山陽道で20匹、西海道などで5匹ずつ飼育しておく、などとされていたそうです。

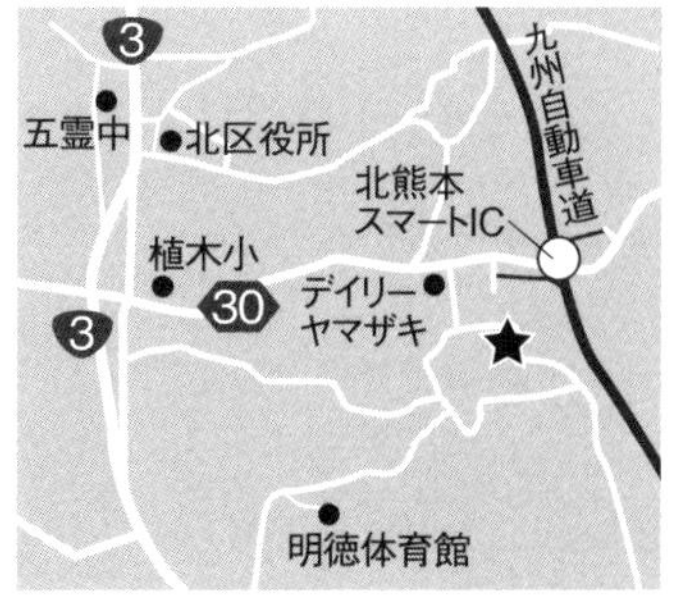

平安中期の「延喜式」には肥後国内の駅として、北から大水（おおうづ）、江田、高原、蚕養（こかい）、

南から見た立石遺跡群第8次調査の発掘現場。すぐ北に北熊本スマートインターの入り口があります

球磨などの名前が載っています。大水駅は南関町、江田駅は和水町、球磨駅は城南町隈庄にあったとみられます。そして熊本大黒髪キャンパスで発掘された大規模な道路や建物の遺構が蚕養駅だったようです。

岡田さんは「駅路は兵員や物資の移動、情報伝達を少しでも速くするため、多少の丘陵などは切り通し、遠くに見える山などを目標にひたすらまっすぐという感じで造られています」と言います。

その結果、現代の高速道路ルートと驚くほど似ていて、駅の位置もインターチェンジやサービスエリアに近いところが多いそうです。「九州自動車道は熊本インターで黒髪からかなり離れますが、市街地を通す事業費負担を考えれば当然のこと。すぐに城南町で駅路ルート近くに戻ります」

案内してもらったのは北熊本スマートインターの接続道路工事に伴う発掘現場です。「ここは北の江田からも、南の蚕養からも16キロ前後で駅の条件に合います」と岡田さん。２０１０(平成22)年の第３次調査では当時の役所などにも使われた掘立柱建物の遺構や、「官」「東」の文字が書かれた土器片などが出土しているそうです。

岡田さんは「今回は第３次調査区域の南東側から発掘していて、出土したのは縄文、弥生時代の土器など。奈良・平安の遺物はほとんど出ませんが、逆に考えれば高原駅の馬を飼育する牧場だった可能性もあります。さまざまな可能性を含め何が出るか楽しみです」と話してくれました。

【メモ】

古代の官道には都や大宰府と地方の国府を結ぶ駅路と、国府から郡の役所に延びる伝路がありました。合わせて「駅伝制」。これが駅伝の語源になったそうです。

〈熊本市南区＝市指定史跡〉

陳内廃寺跡（2021年3月6日付）

県内最古とされる寺院跡　火の君一族の〝氏寺〟か？

今回ご紹介する陳内廃寺は、県内最古の寺院とされています。発掘で出土した瓦の様式や分布などから、創建は奈良時代前の西暦700年前後とみられ、約160㍍四方の寺域に三重塔あるいは五重塔がそびえる威容を誇ったようです。

しかし、建立から100年ほどで焼失し、再建はされませんでした。当時の名称も分かりません。「それはこの寺院の性格や、当時の政治状況なども影響したのではないかと考えられます」と熊本市塚原歴史民俗資料館の清田純一さんが言います。

仏教は538年（552年の説も）に伝来し、大和朝廷と関係が深かった百済を巡る朝鮮半島情勢が悪化すると、鎮護国家を願う朝廷が保護するようになります。天智天皇は百済救援のため滞在した筑紫で観世音寺建立を発願。弟の天武天皇は皇后の病気平癒祈願で薬師寺を建て、685年には諸国の家（豪族）に寺院造営を命じます。

陳内廃寺の創建もこの頃と考えられます。清田さんは「当時、この地域では火の君一族が勢力を持っており、陳内廃寺は火の君の氏寺だったとみられます」と話します。

陳内廃寺跡に残る塔の心礎は長径1.9㍍、短径1.8㍍、厚さ1.2㍍。柱の穴は直径51㌢もあります

出土した瓦は大宰府の観世音寺と同じ系列のものが多く、建物の配置も中門をくぐって右に塔、左に金堂が建ち、奥に講堂がある法起寺式と推定され、やはり観世音寺と同じ。両寺院の関係の深さがうかがえます。肥後国府は当時、益城郡だった城南町にあったとされ、陳内廃寺が肥後の拠点寺院だったと考えておかしくありません。

ところが８世紀半ば、聖武天皇の代に状況が変わります。凶作続きや天然痘の流行を憂えた聖武天皇は７４１年に国分寺・国分尼寺の建立を、２年後にはそれを統括する東大寺の建立を命じます。

また、藤原氏出身の光明皇后は７３７年、後ろ盾だった藤原家の兄弟４人を天然痘で亡くしています。「薬師寺では力不足と考えたのでしょうか、皇后はその後、聖武天皇の病気平癒を祈願して新薬師寺を建てました」と清田さん。

こうして仏教に国家の関与が強まる中、新旧寺院間であつれきが生じたかもしれません。「陳内廃寺焼失と前後して、現在の宇城市豊野町に浄水寺が建てられました」と清田さんが教えてくれました。その寺院跡の瓦には陳内廃寺の流れをくむものがあり、碑文から法相宗の寺だったようです。法相宗の本山は薬師寺。ちなみに新薬師寺は東大寺と同じ華厳宗です。

また、浄水寺跡に残る「延暦廿（８０１）年」と刻まれた灯籠の竿石には「肥公馬長（ひのきみのうまおさ）」の銘がありました。火の君の子孫が造営に関わっていたことが分かります。寺領は３８８町（約

460ヘクタールと、ずばぬけた広さでした。焼失した陳内廃寺は、火の君が勢力を維持していた豊野で再興したのかもしれません。

その浄水寺は平安時代、国家公認寺院の一種だった「定額寺」に認められ、江戸時代まで存続したようです。余談ですが、城南町の豊田庄は南北朝時代には菊池氏が支配して「豊田十郎」、後の15代武光が幼少期を過ごした記録が残っています。

【メモ】

城南町の舞原台地には古代官道の「球磨駅」や「益城国府」があったと考えられています。1999(平成11)年からの新御堂遺跡発掘調査で幅4メートルほどの駅路跡とみられる遺構が見つかり、当時の役人が身に着けた青銅製の帯留め(巡方)も出土しています。

〈熊本市西区＝国指定史跡〉

池辺寺跡（ちへんじあと）

（2018年11月17日付）

国内に例のない石塔群　住民が守り継いだ奇跡

熊本市西区池上町の池の上バス停前から井芹川を渡り、少し坂道を上った所にある池上日吉神社は、明治の廃仏毀釈（はいぶつきしゃく）まで「池辺寺」というお寺でした。

そこから山道沿いに車で10分ほど上った金峰山の中腹に「百塚」と呼ばれる地区があります。名前の通り、熊本市の1986（昭和61）年からの発掘調査で100基の石塔跡が確認された古代山岳寺院「池辺寺」の跡です。約3千平方㍍の斜面に、底辺が一辺2・4㍍の石積みの塔が、やはり2・4㍍の等間隔で縦横10基ずつ並ぶ景観は圧巻です。

池辺寺の縁起絵巻では、麓にあった「味生池（あじうのいけ）」にすむ竜を鎮めたと伝えられていますが、その伝説に百塔は出てきません。誰が何のためにこんな石塔群をこしらえたのか――。今もはっきりと分かっていないのですが、謎はそればかりではありません。

百塚からさらに登った山中に立つ「金子塔（かなごのとう）」に、池辺寺は奈良時代に入る前後の和銅年間（708～715年）に建立され、百塔が根本御座所（中枢部分）であると刻まれています。

案内してくれた熊本市文化振興課埋蔵文化財調査室の芥川太朗さんは、「発掘で石塔群の東に隣接

する本堂などの建物跡も見つかり、ここが金子塔にある池辺寺跡だと判明しました」と前置きした上で、「出土した遺物や瓦などから、建てられたのは平安時代初めの9世紀前半で、9世紀終わりには別の場所に移ったらしいことが分かりました」といいます。建立時期は金子塔に記された和銅年間とは大きく食い違います。周辺の山中では、別の石積みなども発見されていますが、和銅年間のものとみられる遺物類はこれまでの調査で見つかっていません。

それでも、本堂部分の床には「塼（せん）」と呼ばれる素焼きのれんがタイルが敷いてあり、格式の高い寺だったとみられます。さらに、本堂の周りなどの排水溝は石を割って作ったふたで覆われており、これは海外から入ってきたばかりの、最先端技術だったそうです。

保存工事が施された百塔跡。斜面は東を向いており、V字形の稜線の奥に花岡山（左）と万日山（右）が見えます

百塔の下から人骨などは出ていませんが、地元では「ここは侍の墓で開墾などしてはならない」との言い伝えがあり、手を付けてきませんでした。芥川さんは「百塔自体が全国に類を見ない貴重なものですが、地元の人に守られ、今まで残ったことは奇跡としか言いようがありません」と言います。

地元の住民は、廃仏毀釈で散逸した仏像などを買い戻し、「池辺寺跡財宝管理委員会」を組織して清掃や宝物の保管を続けるなどしてきました。その功績で２００８（平成20）年には文化財保護の大臣表彰を受けています。

【メモ】

百塔の周辺からは大量の灯明皿が出土しています。斜面に並ぶ１００基の石塔の下で明かりがゆらめき、西原村の「冬あかり」のような幻想的な光景が広がったのでしょうか。

〈菊池市＝未指定文化財〉

菊之池B遺跡（きくのいけびーいせき）（2020年11月7日付）

菊池氏の繁栄支えた水運　菊池川最古の船着き場跡

菊池氏といえば、南北朝の時代に15代・菊池武光が懐良親王を擁して北朝方と戦い、一時は九州全土も制した勇猛な武士団のイメージで語られます。今回はその力の源泉を探るお話です。

大津町から国道325号を北上して菊池川を渡った北宮地区、深川地区辺りが菊池氏発祥の地とされています。田んぼの中の小高い段の上に「菊之城跡」の石碑があり、そこに平安時代の1070（延久2）年、初代の菊池則隆が居館を構えたそうです。

西に向かうと「菊池」の名の由来ともされる「菊之池跡」が公園になっており、その南には則隆が勧請し、後に現在地に移ったと伝わる佐保川八幡宮があります。2019（令和元）年12月、八幡宮東側で行われた発掘調査で、菊池川流域で最古の船着き場跡とみられる石組みが出土しました。

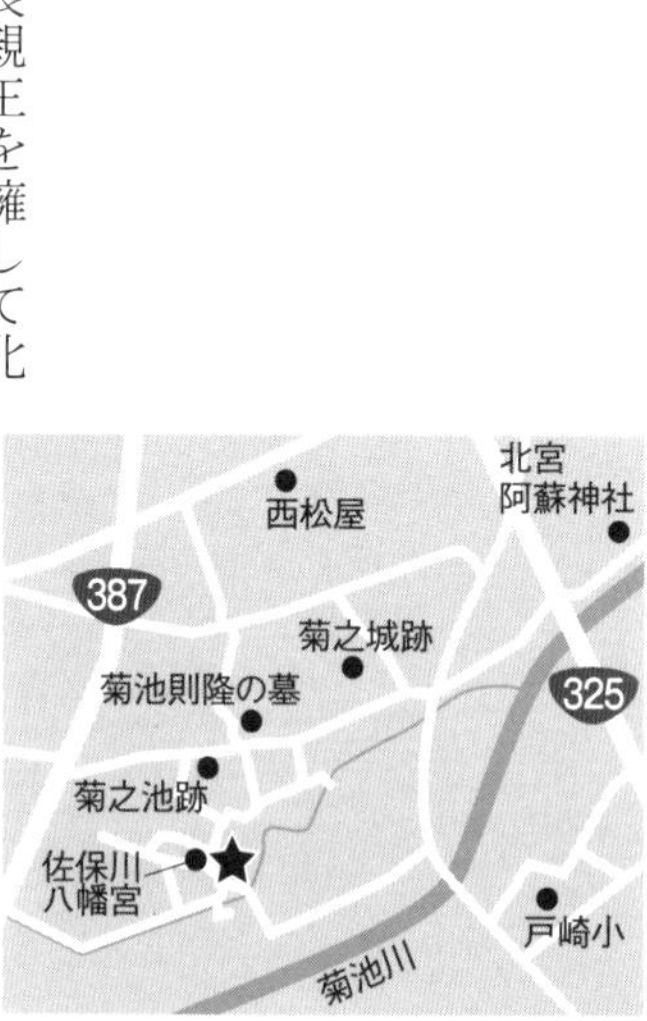

発掘は、菊池氏関連遺跡の国指定を目指している菊池市教育委員会が、菊之城跡周辺の確認調査の

菊之池Ｂ遺跡の西側からみた遠景。船着き場とみられる遺構が出土したすぐ南側を菊池側から取水する農業用水が流れています（菊池市教委提供）

ため実施しました。周りは田んぼや温室、民家など。近くを農業用水が流れていますが、菊池川までは約２００㍍あります。発掘に携わった菊池市教委生涯学習課の西坂知紘（ちひろ）さんは「本流からこんなに離れた所で船着き場の遺構が出るとは思っていませんでした」と振り返ります。

およそ５㍍四方の発掘現場で、人のこぶしから頭ほどの大きさの自然石が出始め、やがて一列に並ぶ石組みが現れて人為的な構造物と判明。川岸に設けたとみられる石段の跡や、小舟を迎え入れるような水底のくぼみの石組み跡もありました。

船着き場があったのが当時の本流か支流かははっきりしませんが、西坂さんは「近くの農業用水は江戸時代に整備された菊池井手の名残で、元々船着き場を作れるような支流があったのかもしれません」と言います。

石組みと一緒に、船着き場の時代や役割をうかがわせる陶磁器類も出土しました。最も深いところでは11世紀後半ごろの白磁片が出たほか、12世紀後半から14世紀中ごろにかけての中国の青磁片などが出たそうです。

則隆の居館近くの菊池川沿いには「上市場」や「下市場」の地名も残っています。また、竹崎季長の「蒙古襲来絵詞」に描かれた10代・菊池武房の太刀の鞘（さや）は、大変貴重な輸入品だったトラの尾の毛皮で覆われています。

こうしたことから、菊池氏は代々、菊池川の水運を生かし、国内や海外との交易で財を築いたのではないかとみられています。船着き場の遺構や出土品は、その直接的な証拠とみることができます。どんな産物を送り出して財を築いたのでしょうか。

菊池氏は、15代・武光のころまで菊之城を本拠地にしていましたが、16代・武政の代に現在の隈府に拠点を移します。戦国時代になると大友氏などの勢力に押されて衰亡していきました。西坂さんは「菊池川が菊池氏450年の歴史の礎になったと言えると思います」と話しています。

【メモ】
その後、菊池市教委による「菊之城跡」の発掘調査で、13世紀後半から14世紀前半ごろの柱穴跡など、菊池一族前期の館跡とみられる建物の遺構が初めて確認されています。また、当時の菊池川は現在より北を流れ、菊之城跡や菊之池B遺跡の船着き場も旧河道に面していたことが分かりました。

〈相良村＝国指定重要文化財〉

十島菅原神社（としますがわらじんじゃ）

（2020年5月16日付）

本殿建立は初代人吉藩主　人吉球磨特有の建築様式

十島菅原神社は、川辺川と合流してから北へ蛇行する球磨川の右岸にあります。杉などの木立に囲まれた池の島に本殿が建つ不思議なたたずまいで、池の島の数が「十島」の名の由来とされています。

「球磨郡神社記」などに、創建は鎌倉時代の弘安年間（1278～1288）と記されているそうです。ちょうど二度目の元寇（1281年）があったころです。

祭られているのは菅原道真公で、「学問の神様として参拝者も多く、古くから地元で大事に守られてきた神社です」と相良村教育委員会社会教育係長の永田聖史さんが教えてくれました。

誰が創建したかははっきりしませんが、人吉・球磨相良氏の祖となる相良頼景が遠江国（現・静岡県西部）から多良木に下向したのが1198（建久9）年。その7年後に長男・長頼が人吉荘の地頭になったことを考えると、人吉球磨の地を治めた相良氏が関わっていたのではないかと推測されます。

この神社の建物は、人吉球磨に特徴的な神社建築の二つの要素を備えています。一つ目は、本殿につながる奥に長い拝殿の入り口右側に社務所がつながり、上空から見ると建物全体が「L」字型に配置されていること。二つ目は、奥の本殿を大きな覆屋（上家）が覆っていることです。

本殿の奥から池越しに見る十島菅原神社。覆屋の中に本殿が守られています

本殿の背後から見る覆屋は、建設の途中、組んだ柱に茅葺(かやぶき)の屋根を載せただけで工事を中断したかのように見えますが、本殿を雨や日差しからしっかり保護しています。「覆屋は当時の礎石が残っていて、1997(平成9)年度からの保存修理工事で復元されました」と永田さん。

この保存修理事業では、重要な発見もありました。まず、解体した本殿棟木の墨書から、施主は初代人吉藩主となった相良家20代の長毎(ながつね)で、1589(天正17)年の建立であることが判明しました。そして、本殿が建つ島も含め、池の中の島は、造成された人工島だったことが発掘で分かったそうです。

長毎は戦国動乱の末期、わずか12歳で家督を継ぎました。2年後には豊臣秀吉の九州平定があり、島津との板挟みになった相良氏は、家臣の深水宗方が秀吉と直談判して領地を安堵(あんど)されます。続く朝鮮出兵に際しては、相良家菩提寺の願成寺住職だった勢辰が同行し、功を立てたそうです。

本殿の棟札には、こうして長毎を補佐した深水宗方と勢辰の名もあったそうです。社殿建立は、時代が激変する中で若い領主と領国の安寧を祈願する意味もあったのかもしれません。永田さんは「保存修理工事で、相良氏が大切にした神社の当時の姿を復元できました。これからもしっかりと守っていきたい」と話してくれました。

【メモ】

社殿の「L」字型の配置と覆屋という人吉球磨特有の特徴を持つ神社は、ほかに山田大王神社（山江村）や長毎が本殿を建立した老神神社（人吉市）などがあります。

〈合志市＝市指定史跡〉

竹迫城跡

（2019年4月6日付）

周囲5・9㌔の惣構え　中世城の特徴色濃く

菊陽町の光の森から県道を北上して合志市役所前を直進していくと、やがて古くからの集落に入ります。道が急に狭くなり、ジグザグやクランクが続いて、今は公園になっている竹迫城跡にたどり着くのは容易ではありません。

「竹迫城は中世の丘城で、集落の道が曲がりくねっているのは敵の侵入を防ぐための城下町の名残です」と合志市教育委員会生涯学習課の米村大さんが教えてくれました。

源頼朝から地頭に任じられた中原師員（もろかず）が名を竹迫輝種と改め、この城を築いたと伝えられますが、はっきりしません。遺構などから戦国時代を通じて度々増強されているようです。

城跡から500㍍ほど南にある合志小学校の校舎新設に伴って、2005（平成17）年に実施された発掘調査では堀跡や陶磁器などが出土。15世紀ごろの竹迫氏の館跡だったことが分かっています。

16世紀前半には竹迫氏に替わって、現在の大津町真木および泗水町の住吉を拠点にした合志氏が竹迫城に入ります。合志郡の領主であった合志氏の支配領域は、最大で大津町、菊陽町、菊池市旭志・泗水町・七城町、合志市から熊本市の小山・御領に及んだそうです。

竹迫城本丸の北側に残る空堀と土塁（右端）

1825（文政8）年に描かれた「竹迫城絵図」には城を中心に城下の館や寺、田畑、川、外堀などが描かれています。外堀は城下を守る防御施設の「惣（総）構え」です。実地調査で、土塁と堀による周囲5・9㌔の惣構えがほぼ絵図通りに確認されました。

米村さんは「戦国時代の城を全周する惣構えであれば小田原城の周囲9㌔にも匹敵し、九州ではほとんど例がありません」と言います。

竹迫は菊池の隈府から御船へ抜ける南北ルート、玉名の高瀬から大津を経て阿蘇へ向かう東西ルートを押さえる要衝でした。また、米作りに適さないこの地域の台地では、エゴマなどの畑作が行われ、太宰府天満宮に灯明皿のエゴマ油を納めるほどの産地だったそうです。

「竹迫城は惣構えで領民を守るとともに、領民と共に戦って外敵を防いだ中世の特徴を色濃く残す城です」と米村さん。標高92㍍の本丸の北側には、東谷川の深い谷の方向に、厳重に張り巡らされた空堀や土塁が残っています。

戦国末期、竹迫城を攻めた島津軍は直接攻撃を避けて交渉で城を手に入れた様子が島津家家臣上井覚兼の日記から分かります。そのことからも、軍事的な重要性がうかがえます。

竹迫城は本丸をはじめ、発掘調査は手つかずで、まだ謎の多い城です。中世城郭に詳しい米村さんは「遺構の状態は良好で、しっかり保存しながら研究を進め、広く知ってもらえるようにしたい」と話しています。

【メモ】
本丸北側の空堀は深さ8㍍ほどあり、現在は草スキー場として子どもたちに親しまれています。

〈合志市＝未指定文化財〉

国泰寺跡（こくたいじあと）

（2021年2月6日付）

「竹迫五山」とされる寺院跡　発掘で中世墓所遺構が出土

合志市役所から合志小学校の前を通り、竹迫日吉神社に着く手前のT字路左角に、今回ご紹介する国泰寺跡があります。肥後国誌に「竹迫（たかば）五山跡」として長福寺、金龍寺、清寿院、金福寺とともに出てくるお寺の跡です。2020（令和2）年5月から10月にかけて発掘調査がありました。

「五山制度は、鎌倉後期から室町時代にかけて、鎌倉や京都の格式の高い臨済宗の寺を定めた制度です」と合志市教育委員会生涯学習課の前田純子さんが教えてくれました。それが全国に広まり、県内にも託麻五山や水俣五山、菊池氏の15代・武光が定めた菊池五山などがあります。

公家出身で源頼朝の側近だった父を持ち、地頭として竹迫に入ったとされる中原師員（もろかず）＝竹迫輝種と改名＝が竹迫氏の始祖とも伝わります。竹迫五山は竹迫氏と鎌倉とのつながりを示すものかもしれません。

1825（文政8）年に描かれた「竹迫城絵図」には「国泰寺は竹迫氏の位牌処（いはいどころ）か」との書き込みがあります。「発掘前は竹林でしたが、今回の調査で国泰寺が竹迫氏に関係した菩提寺（ぼだいじ）だった可能性が強まりました」と前田さんが言います。

上空から見た発掘調査区域。奥の木立の中に見える屋根が竹迫日吉神社です（合志市教育委員会提供）

発掘では5メートル四方に河原石を敷き詰めた塚が姿を現し、中央に卒塔婆（そとば＝墓標）などを立てたとみられる石組みが出土。その下から骨片も見つかり、墓である可能性も出てきました。冥土の旅に必要な六道銭として納めたとみられる中国・明朝の銅銭「洪武通宝」や一緒に出土した土器の年代から、14～15世紀のものと推定され、これまで見つかっていなかった竹迫氏関係者の墓所である可能性が高いそうです。

その下の層からは２００５（平成17）年、現合志小校舎を建設する際の発掘調査で発見された堀と同様の遺構が見つかりました。

竹迫城絵図には、合志小跡辺りの「陣ノ内」「八龍」の地に、「竹迫氏の始祖此処（ここ）に居す」とあり、国泰寺跡の堀もその居館と関係する遺構だった可能性があるそうです。一帯に竹迫氏の居館や寺、墓所が広がる構図が浮かび上がってきました。

調査地の一角には、竹迫氏に替わって竹迫に入ってきた合志隆岑の家臣で、大津を拠点とした「大林大和守岑徳（みねのり）」の名を刻んだ板碑（自分の死後の冥福を祈って建立された石碑）がありました。板碑には、石に経文を一文字ずつ書く「一字一石経」を納めたことが記され、実際に板碑の下からは集石が発見されています。

板碑に刻まれた年号は「大永八年（１５２８年）」。肥後国誌にはこの年、合志隆岑が中原師員の草創と伝わる竹迫日吉神社を再興したと記されています。前田さんは「国泰寺の板碑のことも考えると、合志氏と竹迫氏の勢力の交代を考える上で重要な手掛かりになると思います」と話しています。

【メモ】
この時の調査で国泰寺跡をさらに掘り下げたところ、弥生時代後期の竪穴住居跡など、集落があったことをうかがわせる遺構も出土したそうです。調査の速報は合志市のホームページで紹介されています。

〈五木村＝村指定有形文化財〉

五木阿蘇神社の懸仏（いつきあそじんじゃのかけぼとけ）

（２０１９年11月16日付）

ダムの計画で歴史再発見　日本の暮らしの原点の村

川辺川ダムの建設計画に揺れた五木村では、水没予定地にあった集落の集団移転のほかにも、文化財の大掛かりな発掘調査や移設などの事業が実施されました。

今回の懸仏２枚は、村中心部の頭地地区を流れる川辺川の左岸にあった東俣阿蘇神社と、右岸にあった西俣阿蘇神社の移設に伴う調査で見つかったものです。

懸仏とは、神社に祭られた仏様といえばよいでしょうか。「現在は神社の本殿などで、よくご神体の丸い鏡を見かけますが、代わりにこんな懸仏を祭った時代がありました」と五木村教育委員会の福原博信さんが言います。

日本の神々は仏様が人々を救うため姿を変えて現れたと考える「本地垂迹説（ほんじすいじゃくせつ）」によるもので、平安時代から広まり、明治の廃仏毀釈（はいぶつきしゃく）まで続きました。

「２枚とも、描かれているのは十一面観音。阿蘇神社の主祭神・健磐龍命（たけいわたつのみこと）の本地仏です」と福原さん。東俣、西俣の両神社とも、８０６（大同元）年創建とされる人吉市の青井阿蘇神社を総社に、大同年間の創建と伝わります。

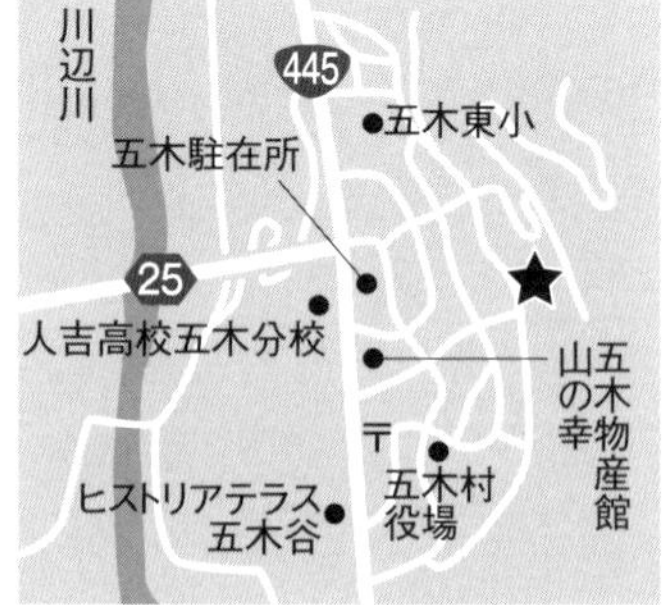

左が西俣神社、右が東俣神社の懸仏

懸仏はそれぞれ直径24㌢余り。ヒノキの板に銅板を当てて覆い、観音像は銅の鋳造(ちゅうぞう)です。専門家の調査で、鎌倉時代後期から南北朝時代の前半の作とみられるということです。

福原さんは「村には石器時代や縄文時代から人が暮らした痕跡がありますが、中世前半の歴史は空白で、重要な発見でした。山深く、廃仏毀釈の嵐が及ばなかったことも幸いしました」と話します。

五木村には江戸時代まで、谷ごとに「旦那(だんな)」と呼ばれる33家があって、それぞれの集落が自分たちの暮らしぶりや神社、お堂などを守ってきたそうです。「阿蘇神社のほか、八幡神社や日吉神社などもあり、春日神社を祭る集落は、神の使いの鹿の肉を食べないと聞きます」と福原さん。

水没予定地の調査は1992(平成4)年から2008年まで続き、懸仏以外にも数多くの遺跡が見つかりました。「多くの村人が発掘作業に参加し、出土品を見る目が肥えて『うちの畑でこれが出た』と言って土器片や石器を持ってくる人が大勢います」と福原さんが言います。「極端に言えば多くの集落に遺跡があるというより、今ある集落は縄文時代から続く生きた遺跡と言えるほどだと思っています」

狩猟・採集から、焼き畑で雑穀や陸稲(おかぼ)を作り、そして水稲へ。五木村には日本列島の農耕や暮らしの原点が今も息づいている――。福原さんはそう考えているそうです。

【メモ】

東俣、西俣の阿蘇神社と清楽の白木神社は２００４(平成16)年、頭地代替地に五木阿蘇神社として合祀されました。その際に見つかった懸仏など54点がまとめて村の文化財に指定されています。

〈天草市＝国指定史跡〉

棚底城跡（たなそこじょうあと）（２０１８年12月15日付）

今も残る数多くの謎　天草屈指の堅固な城

天草市倉岳町の棚底地区を通る国道２６６号の山側に位置する棚底城跡。２００９（平成21）年に国の史跡に指定されましたが、今も謎が多い中世の山城です。

天草地方で最も高い標高６８２メートルの倉岳から延びる尾根筋突端の傾斜を利用して築かれ、本丸に当たる標高約90メートルの部分から麓近くまで、８カ所の曲輪（くるわ）が連なります。

天草市観光文化部文化課の宮﨑俊輔さんは「曲輪と曲輪の段差を垂直に削って登りにくくする切岸（きりぎし）や、谷筋から攻め登る敵を防ぐ三重の横堀と土塁を施すなど、天草屈指の堅固な城だったことが調査で分かりました」と言います。

当時のいわゆる「天草五人衆」のうち、旧有明町に居城を構えた上津浦氏の出城だったとみられますが、誰が築いたのかはっきりしません。

棚底城の出土品は、大まかにⅠ期（15世紀前期～中頃）、Ⅱ期（15世紀後半～16世紀前期）、Ⅲ期（16世紀中期）に分かれます。発掘調査では２千点にも上る出土品が見つかりましたが、中でも注目は陶磁器

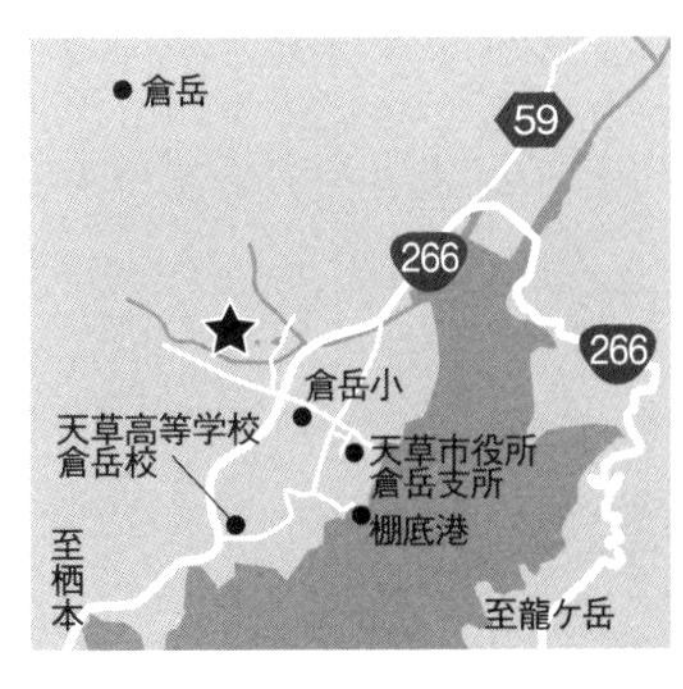

東から見た棚底城跡。手前右の池近くが登り口。城主の居館は奥に見える最上部にありました(天草市観光文化部文化課提供)

類です。

「中国を中心に海外からの陶磁器類が5割以上を占めていました」と宮﨑さん。第Ⅰ期分では15世紀ごろのベトナム製陶磁器もありました。外国産陶磁器の多さは全国の城郭の中でも珍しいそうで、天草がアジア各地と海を隔ててつながっていたことを実感させます。

第Ⅱ期のころの城主は城で茶の湯や碁をたしなんでいたとみられます。茶釜を載せて湯を沸かす石製の風炉（ふろ）、茶臼、天目茶碗などの茶道具や碁石が見つかっています。

そして、第Ⅱ期の終わりごろでしょうか。城は大火に包まれたようです。人吉から八代に進出していた相良氏の文書「八代日記」には、１５４４（天文13）年に上津浦氏の一族が棚底城を出たとの記述があり、それと関連するのかもしれません。

以後、約10年にわたり、上津浦氏と旧栖本町に居城を置く栖本氏との間で棚底城の争奪戦が繰り広げられます。

ところが、不思議なことに城内で井戸や水路の跡が見つかっていません。茶の湯や籠城に欠かせない水をどう確保したのでしょう。外国産陶磁器や茶道具を集める財力をどうやって築いたかなども含め、謎が尽きません。宮﨑さんは「他の山城や周辺の集落の調査などで新たに分かることもあるはずです」と言います。

長崎県出身の宮﨑さんは大学で考古学を学び、２０１８(平成30)年に天草市の学芸員になりました。「天草は大規模な開発が少なかった分、数多くの遺跡や史跡が手つかずで残っています。夢のような宝島です」と意気込んでいます。

【メモ】
天草の中世城跡は57カ所。「天草にあるコンビニの数とほぼ同じ。中世城はそれほど身近な存在でした」と宮﨑さん。

〈あさぎり町＝県指定重要文化財〉

宮原観音堂厨子共（みやはらかんのんどうずしとも）

（2021年4月17日付）

建物に残る室町期の様式　文化財守る茅葺きの後継者

人吉市内から国道219号で多良木町方面に向かい、くま川鉄道あさぎり駅前を過ぎて2㌔余り。「宮原観音堂」の案内標識が立つ交差点で右折し、山あいの宮麓地区まで進むと、右側に寄棟の茅葺(かやぶ)きの屋根が載る宮原観音堂が見えてきます。

道沿いの駐車場から、球磨川支流の奥野川対岸に建つ観音堂に目をやると、周りが工事用の足場で囲まれていました。「9年ぶりの屋根の補修です。『差し茅』といって古くなった茅の差し替えが中心ですが、南側は傷みがひどく、葺き替えます」とあさぎり町教育委員会教育課の秋元めいさんが教えてくれました。

宮原観音堂の由来ははっきりしませんが、秋元さんは「対岸には明治の末まで、近くの岡原霧島神社の前身だった中嶋神社がありました。宮原観音堂は、その中嶋神社の神宮寺だった龍泉寺の仏堂と考えられています」と言います。

元禄年間の「球磨郡神社記」には、「龍泉寺重慶」が室町時代の1432(永享4)年に中嶋神社を修理したと出ています。「観音堂の棟札などの記録は見つかっていませんが、装飾などに室町時代の特徴が

屋根の補修が終わった宮原観音堂（あさぎり町教委提供）

よく残っている建物で、1962（昭和37）年に中にある厨子（ずし）と共に県の重要文化財に指定されました」と秋元さん。

内部は丸柱で、その上部を貫く横木の端の木鼻（きばな）に施された簡素な彫刻や、高低差がある部分をつなぐ海老虹梁（えびこうりょう）の力強い装飾の線などが中世の寺社建築の特徴だそうです。そして、球磨地方の建築では時代が新しくなるにつれて柱の太さが柱間に比べ細くなることと併せ、16世紀中ごろのものと考えられるそうです。

やはり室町時代のものとみられる厨子には江戸時代の木造聖観音菩薩坐像＝町指定文化財＝が納められています。観音堂は1935（昭和10）年に茅葺きから瓦葺きに改修されましたが、岡原村時代の1995（平成7）年に茅葺きに戻されています。

北側の屋根の補修作業を近くで見せてもらいました。親方は人吉市で農業を営む茅葺師の大石和広さん。大学を卒業して福岡で建築の仕事に携わり、10年ほど前に戻って農業を継ぎ、茅葺きの技術をベテランの職人に習ったそうです。

大石さんは傷んだ茅を抜き取り、足元の新しい茅をつかんで差し込んでいきます。場所によって適した茅を選ぶそうです。そして柄の先に、げたほどの大きさの板を斜めに取り付けたコテで押し込んだりたたいたりして仕上げていきます。板の裏には斜めのくぼみがいくつもあり、茅にひっかかる仕掛けです。

「自分が生まれる前は茅葺き屋根も多かったそうで、近所のみんなで葺き替えていましたが、今は高齢化で職人も減りました。古い建物が好きで茅葺きを残したいので、農閑期にこの仕事をやっています」と大石さん。日本の伝統建築を守る技術の一つとしてユネスコの無形文化遺産にも登録された茅葺きの技術を受け継ぐ後継者たちが、古い文化財を守っています。

【メモ】
宮原観音は相良三十三観音の第29番札所。毎年、春と秋の彼岸の季節には一斉開帳で多くの参拝客が訪れます。

〈益城町＝町指定史跡〉

赤井城跡（あかいじょうあと）

（2021年11月20日付）

赤井火山と共に残る山城　自然地形と湧水を生かす

今回の赤井城跡は、今から約14万年前に噴火した赤井火山の火口縁を生かして築城されています。益城町木山の総合運動公園から南へ900メートル余り。周囲の水田などとの標高差は約20メートルで、遠目には木立に覆われた小さな丘に見えます。

「こんなところで噴火が？」と思いますが、益城町は阿蘇外輪山の裾野。熊本空港がある高遊原台地も約9万年前に噴火した大峰火山の溶岩台地です。「赤井火山から噴出した砥川溶岩は西へ流れ、熊本市の地下に帯水層として厚く堆積し、おいしい地下水をもたらしてくれています」と益城町教育委員会生涯学習課・学芸員の森本星史（としふみ）さんが教えてくれました。

「赤井城は中世に木山城を拠点にした木山氏の支城とされ、後に小西行長の時期に改修されたとみられます」と森本さん。江戸初期の正保の国絵図には赤井城の位置に「古城」とあり、木山城の場所には何もないことから、「当時は赤井城が本格的な城と認識されていたようです」と言います。

頂上の主郭部分は平坦に広がり、周りを曲輪（くるわ）や堀が囲んでいます。「本丸周辺には小字名『本丸』という場所が残っています」と森本さん。

北西から見た赤井城跡。手前を流れる赤井川との間の水田は、戦の際には水を張って堀にしたとみられます（益城町教育委員会提供）

城の由来は、益城町史などでは16世紀半ばに木山氏が築いたとされています。中腹に日枝神社があり、境内に「嘉暦四（１３２９）年」などと刻まれた五輪塔の一部が残っていることから、古くは日枝神社と関係が深い天台宗の寺院があったとみられるそうです。

本丸は畑などに使われており、発掘調査はまだですが、中国・元時代の高級な青白磁「梅瓶（めいぴん）」の破片なども出ています。畑の持ち主で麓の赤井集落に住む城本誠也さんは「家の前の道は日枝神社に参拝する人が通りますが、昔から城道（しろみち）と呼ばれてきました」と言います。

人が一人通るのがやっとの城道は、かぎの手に左、右と折れながら上り、最後は狭い切り通しを抜けて鳥居前に出ます。鳥居をくぐると目の前が石垣で、そこを右に折れて境内への石段を上るという配置。いかにも城の出入りを固める虎口（こぐち）を思わせます。

鳥居の石垣は、熊本地震で崩れていますが、中世城に多い自然石の野面（のづら）積みと割石の組み合わせ。曲輪斜面の震災復旧工事に伴って出土した割石には鉄のくさび（矢）を打ち込む矢穴が残されています。これは戦国時代の終わりごろから使われ始めた技術です。

そして湧き水も豊富で、すぐ北を流れる赤井川の内側に水堀にもなる水田や、土塁を挟んだ二重の水堀を構えるなど、「水を生かす防御策が講じられた城でした」と森本さん。

佐々成政の時代を経て、肥後は北半分を加藤清正、南半分を小西行長が領有します。赤井城がある益城郡は合志郡などの加藤領との境。関ケ原の戦いで西軍に付いた小西は、東軍方の加藤との争いを見据えていたと考えられます。

森本さんは「赤井城周辺は布田川断層帯が通り、火山の噴火や地震も起きましたが、地下水も豊富で近くに赤井水源や木崎温泉があります。ここは戦国末期の歴史だけでなく、自然の営みがもたらす災害と恵みについても学ばせてくれます」と話します。

【メモ】
赤井城の南に溶岩の崖から伏流水が幾筋も流れ落ちる「そうめん滝」があります。江戸時代後期、高台で水不足に悩む下砥川村の庄屋・富田茂七が、この滝の前に堤を築いて水かさを上げ、7年がかりで長さ3キロ余りの砥川用水を完成させました。

〈西原村＝村指定有形文化財〉

門出（もんで）の六地蔵板碑（ろくじぞういたび）

（2023年3月18日付）

戦乱のない現世と来世を　戦国の人々の切なる願い

戦国時代の熊本で、庶民たちはどんな生活を送っていたのでしょうか――。熊本大学永青文庫研究センター長の稲葉継陽教授が「近年の研究では、当時の農民は生業（なりわい）や家産を親から子へ継承して永続的な『家』の組織を生み出し、屋号のような名字も名乗ったと考えられています」と教えてくれました。

地域の「家」が集まって「村」になります。「人々が強く結びつかないと生き残れない時代に生まれたコミュニティーが、今の自治会や町内会につながっています」と稲葉さん。

しかし、熊本でその過程を古文書で調べようとしても見つからないといいます。２０１０（平成22）年発行の『西原村誌』で中世の項を執筆した稲葉さんは「経済活動が活発だった京都辺りでは証文や村掟（おきて）などが数多く残っていますが、地方では村の者が集まって決めれば済み、いちいち紙に書いたりしませんでした」と言います。「しかし、人々が自分たちの願いを石に刻んだ板碑が残り、そこから当時の暮らしやコミュニティーの様子が浮かび上がってきます」

西原村河原の木山川右岸にある白山姫神社前から橋を渡った門出集落入り口に、ムクノキの古木が

木山川上流の集会所前に再建された六地蔵板碑。凝灰岩製で高さ186チセン、最大幅84チセン。中央に「中嶋内蔵助」の名前があります。「石工は他の文字を彫った者と別人で、割り込むように細く彫られており、後で追加したのかもしれません」と稲葉さん

ります。1991年の台風で幹が裂け、中から六地蔵や数多くの法名を刻んだ板碑が姿を現しました。

建立者は「大日本国関西道肥後州益城郡六ケ荘津森河原村一結集(衆)」と刻まれています。稲葉さんは「この人々は、自分たちが日本の九州にある肥後・益城の河原村の共同体の者だと自覚していたことが分かります」と言います。板碑は法名が残る五十数人の墓ではなく、生前に自身の冥福を祈って法要をすれば7倍の功徳があるとされた「逆修」供養を共同で済ませた証しでした。なぜ、そこまでしたのでしょうか。

「この地が繰り返し戦乱に巻き込まれたためだとみられます」と稲葉さん。板碑建立は天文13(1544)年。稲葉さんが調べた村内23件の中世石造物のうち、10件が天文10年代の建立だったそうです。当時、現在の西原村の一帯は阿蘇氏の勢力下にあり、「隈本」進出を図る相良氏や菊池氏、合志氏などと入り乱れての争乱が続いていました。

合戦には武士や雑兵だけが臨むわけではなく農民たちも役夫などに駆り出され、敵に家や田畑を焼かれたりしました。「河原村でも相当の被害が出たと考えられます」と稲葉さん。

相良家の『八代日記』などによると、天文10年から13年にかけては、阿蘇勢が隈庄(現・熊本市南区城南町)や堅志田(現・美里町)などを攻め、19年には菊池方の反撃に遭い、津森・木山の合戦で100人以

上が首を取られ、隈庄で10人以上が討ち死にしたとあります。また、天文9(1540)年に川尻であった相良・阿蘇・菊池などの連合軍と隈本勢の合戦では隈本勢が千人以上討ち死に。女性や子どもを含む2千人が生け捕りにされたそうです。

門出の六地蔵板碑には、農民とみられる法名のほか、「御代官中嶋内蔵助殿」という官職・名字付きの名前もありました。稲葉さんは「阿蘇家文書などには出てきませんが、河原村で阿蘇氏の代官を務めた武士だったようです」と言います。

中嶋代官はその4年後、自身で夫婦の逆修板碑を滝地区の阿蘇四宮神社に建てています。碑に残る願いは「現世安穏後生善處」。豊年満作でも武運長久でもなく、現世は穏やかに、来世は極楽で暮らせるようにという意味です。稲葉さんは「とにかく戦乱が終わることが人々のこの上ない願いでした。ウクライナでは1万6千人もの子どもが連れ去られたという報道もあります。500年近く前に、戦乱が何をもたらすかを示す歴史資料が私たちの先祖によって作られ、地域で守り継がれてきたことを知ってほしい」と話しています。

【メモ】
西原村の戦国期の板碑などの多くが、開けた平地ではなく谷筋の集落にあるそうです。稲葉さんは「大規模なかんがい施設は近世に入ってからで、それまでは住民で管理できる小河川沿いで農業を営み、集落ができました」と言います。

〈苓北町＝町指定史跡〉

志岐城跡（しきじょうあと）（2022年2月19日付）

中世の天草下島北部支配　志岐氏が拠点にした山城

２０２２（令和４）年のＮＨＫ大河ドラマの主人公は、鎌倉幕府２代執権の北条義時。その義時から天草下島北部の地頭の「辞令」を受けたのが、後に志岐、天草、上津浦、栖本、大矢野の五氏からなる天草五人衆のリーダー格になった志岐氏です。「志岐氏によるこの地の支配は鎌倉時代から安土桃山時代まで３８０年ほど続きました」と、元苓北町文化財保護委員長の平井建治さんが教えてくれました。

藤原氏の流れをくむ菊池氏の庶流とされる志岐氏は１２１２（建暦２）年、初代・藤原（志岐）光弘が佐伊津や鬼池、志岐浦など天草六ケ浦の地頭に任じられ、その下文（くだしぶみ）が「志岐文書」に残っています。発給者は義時です。

少し寄り道すると、その内容は7年前の「１２０５（元久２）年7月19日の下文の通り、地頭職にする」とあらためて地頭の地位を確認するもの。なぜそんな二度手間を、と不思議です。

元の下文は残っていませんが、発給者は時期からみて義時の父で初代執権だった時政と考えられます。時政はこの１カ月後、閏（うるう）７月19日の政変で失脚し、義時と姉の政子によって追放されてい

志岐城跡の本丸。現在は志岐麒泉を祭る神社が置かれています。鳥居の奥が拝殿

ます。源氏から北条氏に実権が移った乱世の時代。光弘は何らかの理由があって義時から新しい下文を出してもらったのかもしれません。

後の志岐文書から、志岐氏が領地のうち志岐浦を得宗（義時以降の執権北条家当主）に寄進したことが分かっています。「幕府の体制を固めた北条に近づき、領地などの争いが絶えなかった天草で優位に立とうとしたとも考えられます」と平井さんは言います。

南北朝の動乱も生き抜いた志岐氏は戦国末、麟泉（りんせん）の代に全盛を迎えます。中世城の志岐城も麟泉が整備したようです。既に南蛮船が渡来し、キリスト教と鉄砲が日本に入っていました。ザビエル神父と共に来日したトルレス神父は麟泉の要請で１５６６（永禄９）年、アルメイダ修道士を志岐に派遣。これが天草への最初のキリスト教伝来でした。

麟泉も受洗して志岐には３カ所の教会堂が立ち、布教長だったトルレス神父も移ってきて国内の全宣教師が集う宗教会議まで開かれたほどですが、トルレス神父が亡くなると、麟泉はあっさり棄教します。「南蛮船が期待したほど志岐に寄港せず、鉄砲など貿易のうまみがなかったからともいわれます」と平井さん。

１９８０（昭和55）年と94（平成６）年に実施された志岐城跡の調査で出土した遺物も「15世紀から16

世紀の中国や東南アジアの焼き物片がほとんどで、西欧文化につながるものはありませんでした」と苓北町教育委員会で調査や保存に携わった田尻幹雄さんが言います。

豊臣秀吉時代の1589(天正17)年、小西行長が天草五人衆に宇土城普請の協力を求めたのを志岐氏らが拒み、天正の天草合戦が起きます。志岐城は小西、加藤、有馬の連合軍に囲まれ落城。麟泉は有馬家から養子に迎えていた諸経の正室の実家・島津氏を頼って落ち延びます。その後、現天草市新和町大多尾に戻って死去したと伝わり、大多尾には地元民が建てた麟泉宮が残っています。

【メモ】
天草島原の乱後、天草の代官になった鈴木重成は、各地のキリスト教会跡地に仏教寺院を建てました。天草市有明町の正覚寺(南蛮寺)では建物の改修でキリシタンの墓石が見つかっており、志岐にも同様の遺構が残っている可能性があるそうです。

〈山江村＝村指定文化財〉

城山観音堂の木造十一面観音菩薩立像

（2018年10月6日付）

人吉・球磨を統一した　相良長続を供養した仏像

山江村役場近くにある国指定重要文化財の山田大王神社から北へ600ﾒｰﾄﾙほどの道沿いに、古びて傾きかけた「城山観音堂」があります。そのご本尊が、今回ご紹介する十一面観音菩薩立像です。

「台座の後ろに『相良長続（さがらながつぐ）』の名前や、『応仁三（1469）年八月』の造立時期を示す墨書きが残っています」と山江村教育委員会学芸員の和田旭史さん。

相良長続は、観音堂の背後に連なる山中に築かれた山田城城主で、相良氏の庶子とされる「永富長続」とみられます。人吉・球磨の地頭職だった相良氏が、戦国大名となる礎を築いた人物です。

鎌倉時代、遠江（現・静岡県）からやって来た相良氏は、多良木を本拠とする上相良氏と、人吉が本拠の下相良氏に分かれ、やがて激しく対立していきます。

相良家の家史では1448（文安5）年、上相良氏が人吉城を攻め、下相良第10代尭頼（たかより）は大隅国（鹿児島県）に落ち延びて客死。下相良第11代を継いだ永富長続が上相良氏らを滅ぼし、人吉・球

城山観音堂の木造十一面観音菩薩立像。ヒノキ材で本体の高さ62センチ、台座まで含め76・1センチ

磨を初めて統一したとされています。

しかし、そこに至る50年ほどの文書類が異様に少なく、永富氏の出自もはっきりしないことから、長続による下剋上だったとの見方もあります。

ただ、人吉・球磨を統一した長続は芦北、八代と領地を広げ、明治維新まで続く相良氏の地歩を固めます。長続は１４６８(応仁２)年、応仁の乱で上洛中に病を得て帰郷し、亡くなります。長続を供養する十一面観音が造られたのはその翌年。仏像にどんな願いが込められたのでしょうか。

相良氏７００年の歴史では数多くの合戦やお家騒動があり、滅ぼされた一族も少なくありません。一方で、そうした人々を祭る神社や寺院、仏像なども数多く造られ、領主や住民の手で手厚く保護されてきました。

「相良氏は、古くから伝わる地元の文化を受け入れ、大切に守ることで７００年続いたのだと思います」と和田さん。

そうやって守られてきた地域の文化財も、人口減少や高齢化で管理が難しくなっています。城山の十一面観音像も、風化や盗難を防ぐため２０１２(平成24)年から村の歴史民俗資料館で保管・展示されています。和田さんは「仏像などは本来の場所にあるべきですが、今では精密なデータを基に３Ｄプリンターでレプリカを造り、お堂に置いておくなどの方法も考えられています」と話します。

【メモ】

山江村歴史民俗資料館の開館は10時～17時（入館は16時半まで）。月曜日と年末年始休館。入館料200円、高校生以下無料。

〈玉東町＝未指定文化財〉

揚(あげ)の六地蔵(ろくじぞう)と三池往還(みいけおうかん)沿(ぞ)いの石像物群(せきぞうぶつぐん)

（2019年2月2日付）

地域の歴史振り返る　よすがとなる町並み

玉東町木葉は1877（明治10）年に起きた西南戦争の激戦地の一つです。当時、政府軍の野戦病院が置かれて日本赤十字社発祥の地といわれている正念寺の山門には、今も弾丸の痕が残っています。

その正念寺前を通る国道208号は、かつて三池往還（三池街道）と呼ばれていました。三池往還は、植木方面から来ると玉東町役場の手前で高月官軍墓地の方へ向かいます。そして国道を横切ってからクランク状に西に曲がりますが、その道沿いが、昔ながらの木葉の町並みです。

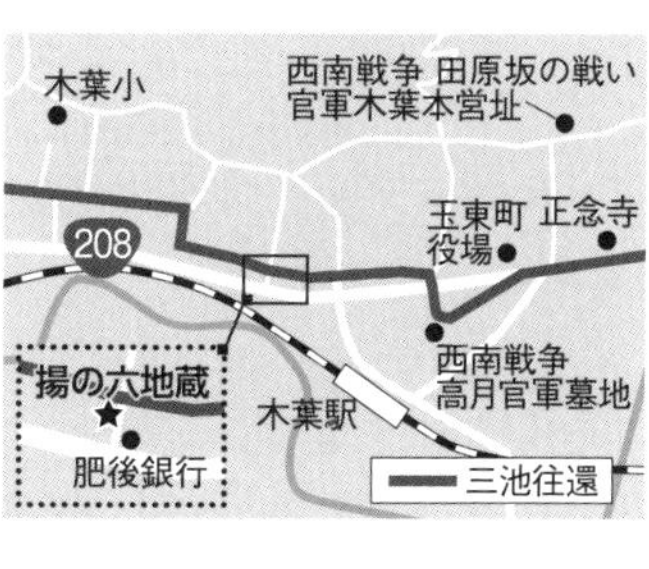

しばらく行くと、左手の空き地の角に立派な笠が載った六地蔵の石幢（せきどう＝石塔の一種）が立っています。地名を取って「揚の六地蔵」と呼ばれています。全高2・5メートル、笠の径1・6メートルの堂々たる姿ですが、今は大人の背丈ほどの高さしかありません。幢身（どうしん）の半分以上が埋もれているからです。

「この六地蔵は造られた当時の高さの地面に立っています」と玉東町教育委員会学芸員の宮本千恵子さんが教えてくれました。道路工事の埋め立てなどで周りの地面がせり上がったらしいとのことで

三池往還沿いの空き地に立つ揚の六地蔵。地元の人たちに大切に守られてきました

す。幢身に刻まれた年号は「明応七年」(1498年)。約520年という時の流れを実感できます。

6体の地蔵菩薩が刻まれた面は今も真新しい赤い布で覆われています。その下の中台(ちゅうだい)には水などが供えられ、子どもがビー玉遊びで地面に掘るくらいの穴がいくつもありました。

宮本さんは「六地蔵には宗教的な意味のほか、街道沿いに立つ道標の役割もありました。この六地蔵建立から100年後には、九州平定に向かう豊臣秀吉が前を通ったかもしれません」と言います。西南戦争時には、政府軍や西郷軍の兵が辺りを駆け巡り、弾丸が飛び交ったのでしょう。

この通り沿いには、揚の六地蔵も含め、戦国末から江戸、明治、大正、昭和に至る年号が刻まれたりした石像やほこらなど14件が立っています。石灰の商いで栄えた木葉らしく、明治以降は恵比寿像が多いようです。「古くからの区割りが残り、中世以来の石像物が良好に保存されてきた木葉の町並みは、地域の歴史を物語る貴重な財産です」

そんな宮本さんが悔やむのは、2016(平成28)年の熊本地震で文化財未指定だった西南戦争関連の建造物などに解体・撤去されたものもあること。「指定されていれば、修復や保存の手だてがあったかもしれません」という宮本さんは、木葉の石像物群などの指定に向けて、課題を研究しているそうです。

大学で考古学を学び、民間企業を経て玉東町の学芸員になった宮本さんが一番好きなのは文化財の実測図を描くこと。「日常業務に追われ、遺物などとじっくり向き合う暇がないので、六地蔵などの実測図をぜひ自分で描きたい」と夢を語ってくれました。

【メモ】

六地蔵の中台に残る穴については「昔、女性や子どもらがこの穴でヨモギをついてつぶした」という趣旨の記録があるそうです。御利益で病などによく効くと信じられていたのでしょうか。

〈甲佐町＝町指定文化財〉

豪淳（ごうじゅん）の碑（ひ）（2021年4月3日付）

甲佐神社の神宮寺を再興　伝説になった肥後の名僧

熊本市内から国道443号で甲佐町中心部を抜け、緑川の手前で左折してアユのやな場を過ぎると、やがて町指定文化財の鵜ノ瀬堰（うのせぜき）が見えてきます。1600（慶長5）年の関ケ原の戦い後、小西行長に替わってこの地を治めた土木の神様・加藤清正が築いたとされています。

築造中の堰の石組みが度々流されて頭を痛めた清正が上流の甲佐神社に祈願すると、夢のお告げがあり、川面に斜めに並ぶ鵜の列の通りに石を組ませたところ流されなくなったそうです。その堰の辺りで北側に目をやると、奥の丘陵の麓に墓地があり、その中にひときわ大きな石碑が立っているのが分かります。それが今回ご紹介する「豪淳の碑」です。

「豪淳は、加藤清正が茶臼山に新城を築く際に地鎮を依頼しようとしたと伝わる名僧です」と甲佐町教育委員会社会教育課の上髙原聡さんが教えてくれました。石碑は、その豪淳が自らの死後の冥福などを祈るため、法華経を千回読む修行をして建てた逆修碑で、「永禄十一」（1568年）と刻まれています。

「肥後国誌」には、豪淳は神仏習合で甲佐神社に置かれた神宮寺を1558（永禄元）年に再興し、阿

豪淳の碑。元々中ほどで折れていたそうですが、熊本地震で倒壊し、復元されました。倒壊前は自重で下から40センチほど埋もれていたそうで、少し白く見えます

蘇や熊本、山鹿、木山などの寺を掛け持ちで月に３、４日ずつ回っていた大僧都（だいそうず＝上位の僧）と出てきます。

そして「甲佐町の早川厳島神社神職だった渡邊玄察が残した『拾集物語』に、名僧を探していた清正が豪淳のことを聞いて熊本城築城の地鎮を依頼したという話が書かれています」と上高原さん。「依頼を受けた豪淳は自分は高齢だからといって弟子の合志郡彌語山（現・大津町）の悟智を紹介し、地鎮の際には自らも来て一緒に執り行ったとあります」

ところが、大津町の矢護川には悟智と思われる弟子が建てた豪淳の供養碑が残っていて、そこに「天正十四」（１５８６年）と刻まれています。清正が肥後の北半分を任されて入国したのが１５８８（天正16）年なので豪淳は既に亡くなっていたことになります。

上高原さんは「拾集物語は信頼できる史料とされていますが、書かれたのは１６９５（元禄8）年ごろ。豪淳の名僧ぶりが肥後国内に広く知れ渡り、亡くなって１００年ほどの間に熊本城地鎮の伝説などが生まれていたのではないか」とみているそうです。

甲佐神社は、これまで幾度も焼失していますが、中世には阿蘇社を本社として健軍社、郡浦社ととも

に「阿蘇三末社」とされ、肥後南部を守護する「肥後国二の宮」で４００町の社領がありました。

豪淳の碑は高さ約２２０チセン、幅約70チセン、厚さ約40チセンあります。横に立ってもらった上高原さんと比べると分かりますが、中世に多い逆修碑でも群を抜く大きさとのこと。上高原さんは「甲佐神社の神宮寺を再興し、これほどの石碑を建てる徳を持った僧侶が戦国末期に実在したことを示すものです」と話しています。

【メモ】

甲佐神社は、現在の宇城市松橋町出身で鎌倉時代の元寇に参陣した竹崎季長が、海東の地頭職を得た感謝として自らの戦いぶりを示した「蒙古襲来絵詞」を奉納したことでも知られ、拝殿には絵詞を模写した絵馬が掲げられています。

〈水上村＝国指定重要文化財〉

生善院観音堂附厨子一基（しょうぜんいんかんのんどうつけたりずしいっき）

（2019年10月5日付）

悲劇が生んだ化け猫伝説　今では人々を守る仏様に

相良氏700年の歴史の中には、悲しいお話もいくつかあります。水上村教育委員会の工藤晃介さんに案内してもらった、同村岩野の「猫寺」として知られる生善院の由来もその一つです。

「水上村誌」などによると、1582（天正10）年のことです。相良家の重臣らの耳に水上村の湯山城主・湯山宗昌と、弟の普門寺住職・盛誉法印（せいよほういん）が謀反を企てているとのうわさが届きます。宗昌をうとましく思う勢力によるぬれぎぬだったと伝えられています。

「相良家から討伐令が出て宗昌は日向に身を隠しますが、盛誉法印は『二人とも逃げれば、うわさが本当だったと思われる』と言って寺に残ったそうです」と、生善院住職の千葉弘実さん。

相良家側も攻撃を翌日に控えた3月15日になって中止を決めますが、それを伝える使いが、たくらんだ側の根回しによって休憩所で焼酎を飲まされて酔いつぶれ、翌朝たどり着いた時には普門寺は炎

生善院観音堂の千手観音像が納まる厨子。特別に扉を開けてもらいました。基壇の右側に彫られた猫は、日光東照宮の眠り猫を連想させます

上。盛誉法印は弟子と読経していて殺されてしまったそうです。

盛誉法印の母・玖月善女（くげつぜんにょ）は息子の死を深く悲しみ、恨みを晴らすために飼っていた猫の玉垂（たまたれ）と共に市房山にこもり、自分の指をかみ切って玉垂に血をなめさせます。そして、後の世までたたるよう言い含め、茂間ケ崎淵に身を投げたそうです。

それから夜ごと化け猫が出るようになり、寺を襲った武士らは狂い死にし、当主も若くして亡くなるなど凶事が続きます。「普門寺を湯前城跡に再建したり、青井阿蘇神社に小さなほこらを建て祭ったりしても収まらず、相良家が１６２５（寛永２）年に普門寺の跡に建てたのが生善院です」と千葉さん。

そして、毎年3月16日に市房山と生善院に参るよう藩主が領内に命じ、自らも参詣するようなって、たたりはようやく収まったそうです。

観音堂は茅葺（かやぶ）きで、内外とも総漆塗り。「屋根の組み方などは国宝の青井さんと同じ様式だそうです」と千葉さん。堂内の厨子に納まる千手観音像は玖月善女の姿を映した影仏とされ、基壇の右側には穏やかな表情で眠る玉垂が浮き彫りで描かれています。

生善院を紹介してくれた工藤さんは、くしくも湯前に移った普門寺の跡に建つ市房山神宮里宮神社宮司の次男。「生善院の文化財を、後々まで伝えるためにできることを考えていきたい」と話します。

重要文化財指定で境内に避雷針が立ち、「この辺りの雷がすべて集まってきて大変です」と千葉さん。深い恨みが、元の母の愛に昇華したということでしょうか。今ではいろんな形で人々を守る仏様になっています。

【メモ】

生善院は相良三十三観音の24番札所。秋の彼岸には１週間、観音堂内の厨子が開帳され、千手観音を拝むことができます。

〈多良木町＝未指定文化財〉

宗像才鶴宛豊臣秀吉文書（むなかたさいかくあてとよとみひでよしもんじょ）

（2020年12月5日付）

存続した大宮司家の名跡　細川家家臣として熊本へ

２０１９年、20年と県内で豊臣秀吉の九州平定にまつわる古文書発見のニュースが続きました。次の項でご紹介する、水俣市に寄贈された豊臣秀吉朱印状は１５８７（天正15）年５月、島津氏を降伏させた秀吉が家臣に対し、水俣城を相良家重臣の深水宗方に返すよう命じたもの。

今回は、秀吉が福岡県宗像市にある宗像大社大宮司家の後継者として扱った「宗像才鶴」なる人物に出した１５８６年10月10日付の判物（はんもつ、花押入り文書）と、翌年とみられる３月28日付の朱印状です。

「2通とも、多良木町の旧家が町に寄贈された資料の中にありました」と多良木町教育委員会教育振興課の上村麻妃（あさひ）さんが言います。宗像大社大宮司の後継者に宛てた文書が、なぜ多良木町に伝わっていたのでしょうか。

判物は、最高級の雁皮紙を使った才鶴宛ての感状（賞状）で、島津氏の九州北上を阻んだことを称賛し、知行の保証を伝える内容です。秀吉の花押の「悉」が記されています。

朱印状の方は奉書紙に、才鶴が秀吉の軍勢と軍法に不案内であることから、浅野弾正少弼（長政）に

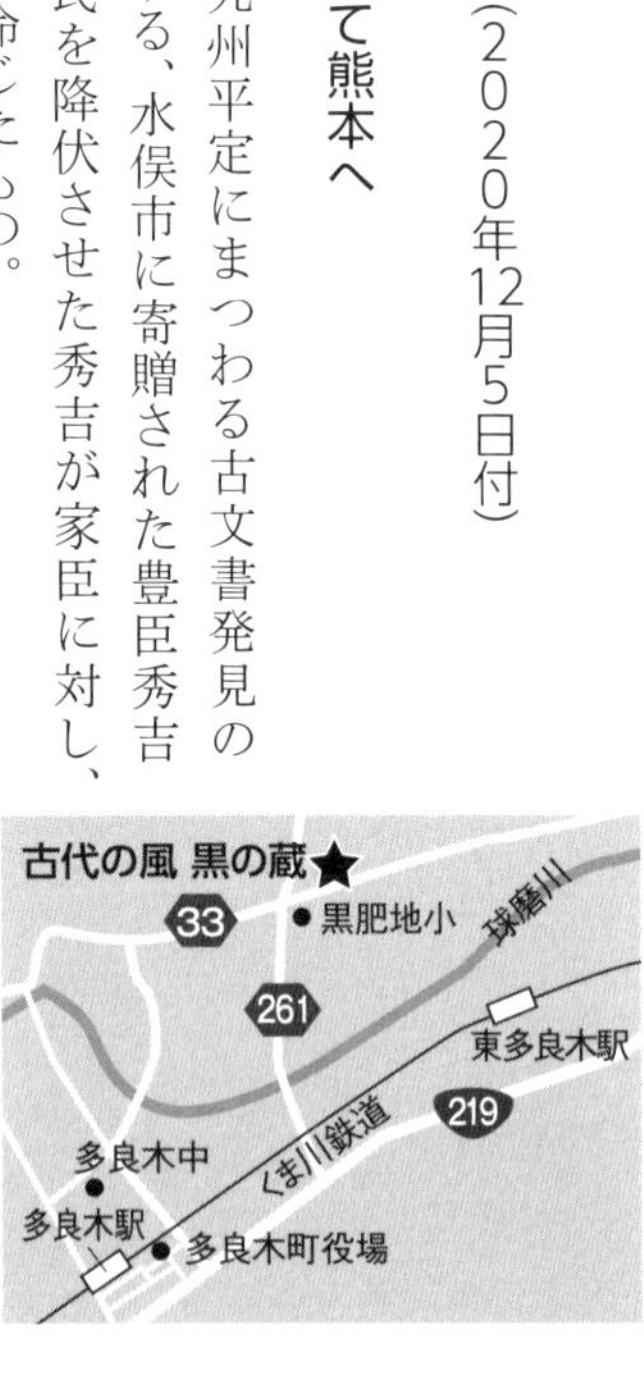

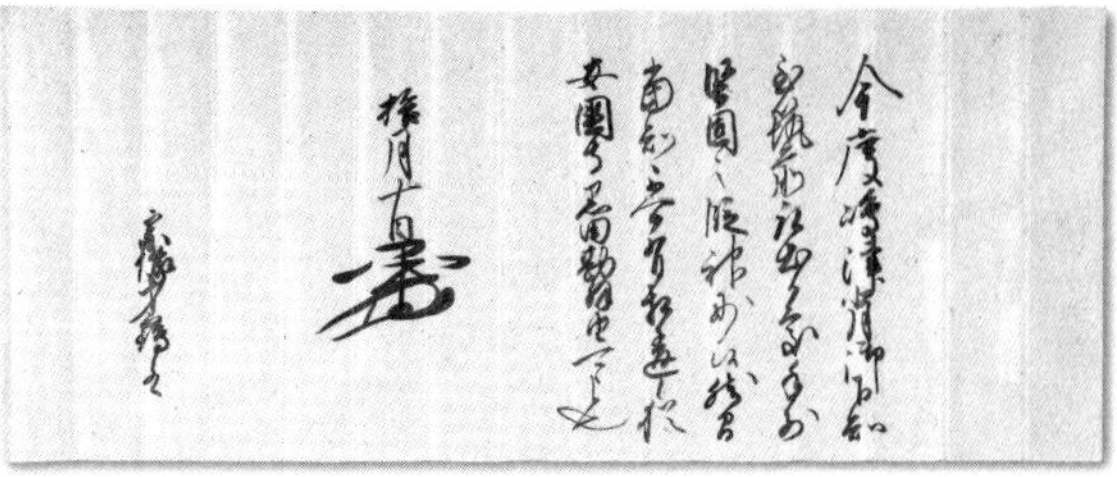

宗像才鶴宛豊臣秀吉判物。日付の下の花押は「悉国平定」の「悉」の字です（多良木町教育委員会提供）

相談して諸事馳走（奔走）せよという指示が書かれています。

宗像氏は海で活躍した古代豪族で、鎌倉時代に武士化。南北朝時代には幕府側で戦っています。しかし、第79代大宮司の氏貞が１５８６年３月に病没。嫡男は早く亡くなっており、跡式（家督・財産）や相伝文書は次女が嫁いだ小早川家家臣の草刈重継が継ぎました。

では才鶴はというと、毛利家文書の中に、秀吉が小早川隆景宛てで、「宗像才鶴」に３００町の領知を与えることを命じた朱印状などがあり、存在は知られていました。しかし、系図などにはなく、「謎の人物」とされてきました。

今回、氏貞の病没からわずか半年余り後の日付で、秀吉が本人に宛てた判物が見つかったことで、氏貞の後継者・才鶴の実在が裏付けられました。

また、「宗像記」などには、秀吉が「氏貞後家」に所領を与えたとの記述があって才鶴は氏貞の妻だったのではないかとみられています。別の宗像大宮司家の文書に出てくる「氏貞後室」は、三女と備前に移り、小早川家家臣の市川与七郎を三女の婿養子に迎えたそうです。与七郎は名を宗像清兵衛と改め、八代の松井家初代・康之の計らいで細川忠興、忠利に仕えました。

上村さんは、「才鶴が亡くなった氏貞の妻だったとすれば、大宮司の跡式は草刈氏に譲ったものの、自らが秀吉から受け取った武家の証しの判物と朱印状は細川家に仕官する清兵衛夫婦に託したのではないでしょうか」と言います。いずれにせよ、2通の文書で幕末まで細川家に仕え、後に多良木町に移った「肥後宗像家」が大宮司家の名跡と血筋を受け継いだことが明らかになりました。

一方、氏貞には島根県を本拠地とした益田氏から迎えた養子(後の益田景祥)がいて、それが才鶴だったのでは、とする説もあり、「才鶴は誰か?」という謎はまだまだ続きそうです。

【メモ】

その後、宗像家の後継者問題に触れた小早川隆景の1586(天正14)年5月の書状が見つかり、「才鶴」は毛利家家臣・益田元祥の次男景祥(かげよし)の幼名だったことが判明しました。才鶴は10歳で宗像家の当主として養子に入ったとみられ、19歳で益田家に戻っています。

〈水俣市＝未指定文化財〉

豊臣秀吉朱印状（とよとみひでよししゅいんじょう）（２０２０年9月5日付）

「肥後国誌」の疑問に決着　薩摩街道押さえた水俣城

国道３号を南下して水俣市に入り、水俣川の手前で左折します。最初の信号機のある交差点を過ぎた辺りが古城地区。北側の丘陵が水俣城跡です。標高30㍍ほどの頂近くから南側の市街地が見渡せます。

信号機の交差点から南西に延びる道は薩摩街道の「出水筋（すじ）」。南東への道が現在の伊佐市を通る「大口筋」とされています。薩摩と肥後を結ぶ薩摩街道にはこの2筋がありました。西南戦争では西郷軍が大口筋を北上しています。水俣は、その2本の街道が出合う要衝でした。

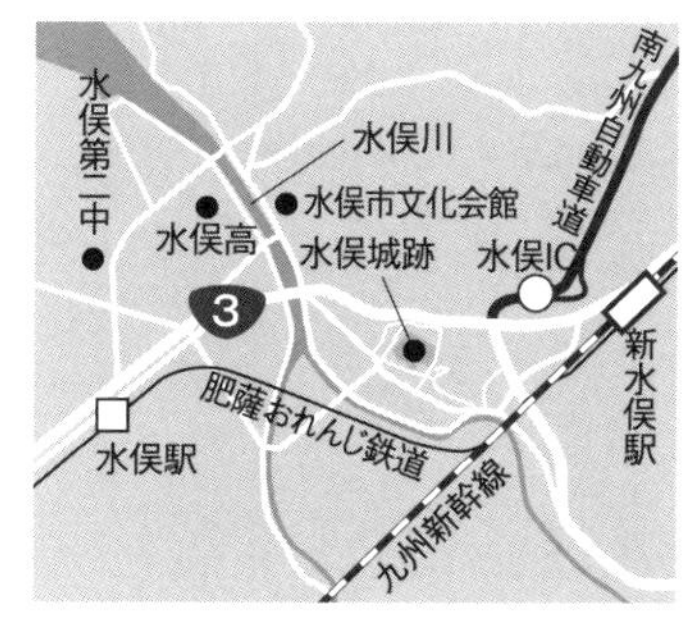

今回の朱印状は１５８７（天正15）年、島津氏を降伏させて九州平定を成し遂げた豊臣秀吉が、薩摩から佐敷（芦北町）に戻って国境の扱いに関して指示した書状です。水俣城を預かっていた家臣の佐藤才次郎宛てで、日付は5月28日。水俣と津奈木を相良家重臣の深水宗方に与えることを踏まえ、城を宗方に渡すよう命じています。

水俣市教育委員会生涯学習課の竹田耕岳さんが「２０１９年に深水家の子孫の方が水俣市に寄贈された資料の中に含まれていました」と教えてくれました。書状の中身は江戸時代にまとめられた「肥後

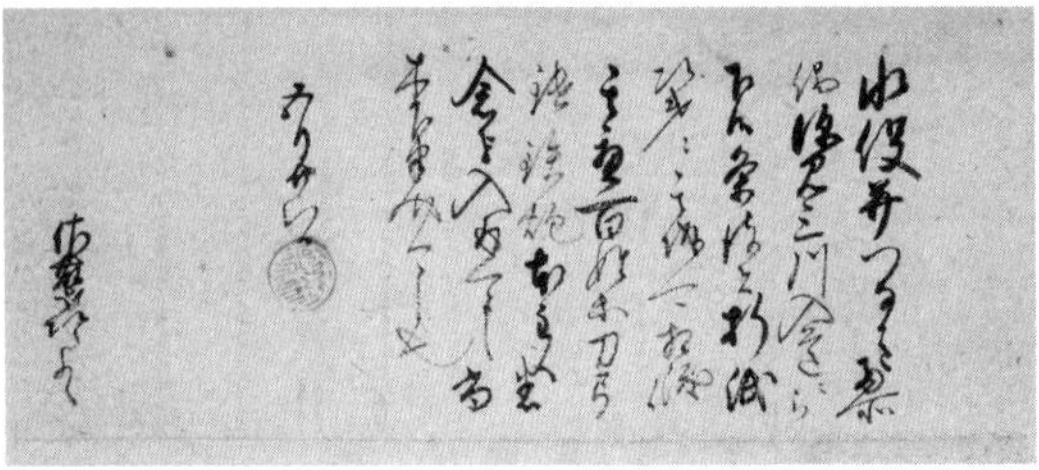

国誌」にも出てきます。ところが、その日付は5月25日で書状と食い違っています。

秀吉は島津氏討伐のため水俣から出水筋経由で5月3日に薩摩・川内入り。8日に頭を丸めた当主の島津義久と会見し、その後、曽木から大口筋に回って27日に水俣に戻ります。その日付で「宗方に水俣城を預け、明日(28日)、佐敷で宗方と肥薩間の境目を決める」とする別の朱印状も残っています。25日といえば、まだ曽木に入る前の段階で、話がかみ合いません。

「研究者の間では肥後国誌に引用された日付が疑問とされていました。原本が見つかったことですっきりしました」と竹田さんが言います。

長年、島津氏に対抗してきた相良氏は、この6年前の1581(天正9)年、水俣城を攻められて島津氏の軍門に下ります。当主の相良義陽は、盟友だった阿蘇氏重臣の甲斐宗運討伐を命じられ、響ケ原(現・宇城市豊野町)の戦いで非業の死を遂げました。遺児の頼房(後の初代相良藩主・長毎)を擁立した宗方らの願いを聞き入れて秀吉が球磨の領地を安堵(あんど)したのは、そうした相良氏の事情をくんだこともあるでしょうが、そればかりではなかったと思われます。

秀吉は今回の朱印状が書かれた翌日、北政所宛てに自筆の手紙を書き、「からこくまてていれ…」(豊太閤真蹟集)と、5年後に迎える朝鮮出兵の意図を記しています。前線基地となる九州の最南端で隠然とした力を持つ島津氏の抑えに意を用いたことは想像に難くありません。

深水宗方に水俣城を渡すよう指示した秀吉の朱印状(水俣市教委提供)

市教委生涯学習課の浦萌木さんは「秀吉は連歌も達者だった宗方を大いに気に入っていたようですが、水俣を与えたのは国境の事情に詳しく、安心して任せられると考えたからと思われます」と話しています。

【メモ】
水俣城は深水宗方が城代を務めた後、小西氏、加藤氏らの出城となった後、江戸時代に破却されました。深水家は幕末まで水俣の惣庄屋を務め、深水頼寛が初代水俣村長に就いています。

〈芦北町＝国指定史跡〉

佐敷城跡（2021年3月20日付）

総石垣の堅固な近世城郭　天草島原一揆で徹底破城

佐敷城は1588（天正16）年に肥後の北半分の大名に出世した加藤清正が、飛び領の芦北に島津氏や相良氏などへの抑えとして築いた城です。江戸時代に破却され、長く歴史の中に埋もれていましたが、1979（昭和54）年からの9次にわたる発掘調査で全容が明らかになりました。

芦北町教育委員会生涯学習課の深川裕二さんの案内で、標高約85㍍の本丸跡に登りました。東に佐敷川と左岸の薩摩街道沿いに延びる佐敷商店街、西は肥薩おれんじ鉄道佐敷駅からその先の計石の港まで見渡せます。「佐敷城築城当時は、佐敷商店街近くまでが海で、この城山は入江に突き出す半島でした」と深川さんが教えてくれました。

佐敷は海にも面し、薩摩街道と相良往還が出合う、古くからの交通の要衝でした。古代官道の「佐職駅」も置かれたことが分かっています。

築城時期は正確には分かりませんが、1592（文禄元）年に清正と城代の加藤重次が朝鮮に出兵した隙に島津氏の家臣が城を乗っ取る「梅北一揆」が起き、その記録に「本丸」「追手之門」「座敷一間」などの構造が示され、既に完成していたことがうかがえます。

南側の上空から見た佐敷城跡。石垣は出土した跡を基に復元してあります(芦北町教育委員会提供)

発掘で、埋もれていた城跡は総石垣造りの本丸、二の丸、三の丸が北から連なっていたことが分かりました。曲輪ごとに門を突破した敵を囲い込む枡形虎口(ますがたこぐち)などを配し、礎石を敷いた建物の屋根は瓦葺(ぶ)きという、当時最新の近世城郭でした。

「石垣の造りは、時期が3期に分かれています」と深川さん。第1期は梅北一揆のころまでで、石灰岩などの「野面(のづら)積み」。自然石をそのまま組み上げるため隙間ができ、敵がよじ登りやすくなります。

第2期は豊臣秀吉の死去に伴って清正らが朝鮮から戻った後で、栗石の表面を板状の安山岩などで覆う「鏡積み」が見られます。1600(慶長5)年の関ケ原の戦いでは清正が東軍に付き、佐敷城は西軍方の島津氏の攻撃を受けますが、持ちこたえています。

そして第3期は関ケ原後で、整形した割り石を目地が通るように並べ、隙間を薄い石で埋める「打ち込みはぎ」。角は直方体の割り石を互い違いに積む「算木積み」で、熊本城ほどではありませんが、石垣の反りもみられます。

本丸では、第2期の石垣を埋めて、その外側に打ち込みはぎの石垣を積んだ跡を見ることができます。深川さんは、「第2期の石垣跡から出土した朝鮮系の瓦には、韓国・蔚山市の慶尚左兵営城跡の瓦と全く同じ傷がありました。瓦や范（木型）を持ち帰るか、職人を連れて来るかして、朝鮮で戦ったステータスを示そうとしたのでしょう」と言います。清正が心血を注いだことがうかがえます。

佐敷城は清正没後の１６１５（元和元）年、徳川幕府の一国一城令で加藤氏の手によって破却されます。さらに加藤氏改易後の１６３８（寛永15）年、前年に起きた天草島原一揆で原城の攻防を経験した細川氏が、幕府の命で水俣城などとともに石垣まで徹底して破壊し、埋めた跡がありました。

深川さんは「佐敷城は朝鮮出兵や関ケ原、天草島原一揆など織豊時代から近世への移り変わりの動きを教えてくれる城です」と話しています。

【メモ】

佐敷川を挟んで東の山中に中世の相良氏が拠点にした「佐敷東の城跡」があります。曲輪が連なり、多重の堀切を施すなどした跡が残っており、詳しい調査が続いています。

〈相良村＝未指定文化財〉

深水宗方（ふかみそうほう）の墓（はか）（２０２２年10月15日付）

秀吉を喜ばせた連歌名人　幼い領主助け球磨を守る

鎌倉時代から明治まで続いた相良７００年の歴史を、戦国末から近世へとつないだ深水宗方という重臣がいました。その墓が、相良村の相良三十三観音第16番札所・深水観音堂にあります。村教育委員会の出合宏光さんに紹介してもらいました。

「深水家は現在の相良村の深水一帯を治めた一族で、宗方は相良家の危機を救った人物です」と出合さんが言います。「人吉市史」によると、宗方は相良家18代義陽（よしひ）の代に父・頼金の奉行職を継ぎ、19代忠房、20代長毎（ながつね）と仕えます。

当時は九州北上をうかがう島津氏との間で、国境を巡って右手で握手しながら左手で殴り合うような緊張関係が続いていました。そんな中で宗方の連歌の腕前を物語る逸話が「肥後国誌」などに残っています。

義陽の代の１５７９（天正７）年８月、宗方が城代を務める水俣城を島津勢が包囲。その陣から城内に矢文が射込まれ、次のような発句が記してありました。

「秋風にみなまた（水俣）落つる木の葉かな」

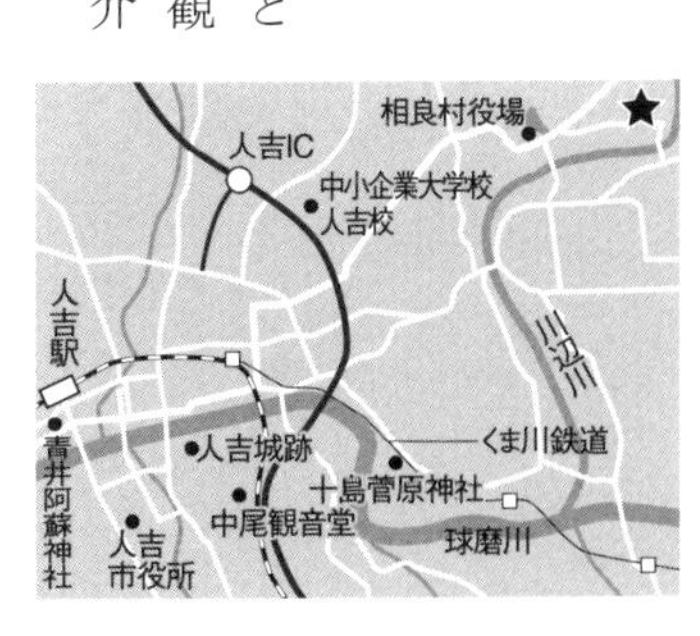

するると城内からすぐさま返す矢が届き、そこには、「よせて（寄せ手）はしづむ月のうら波」という宗方の脇句があったそうです。当時は武士の連歌も盛んで、脇句は共に奉行職を務めた犬童休矣（きゅうい）作とする史料もあります。

結局、義陽は水俣芦北を割譲して島津義久と和睦。盟友だった御船の甲斐宗運攻めを命じられ、響ケ原（現・宇城市豊野町）で討ち死にします。跡継ぎの嫡男・忠房はわずか9歳。宗方や休矣らは弟の長毎を島津に人質として送り、その際の連歌の宴では宗方が一万句の願を立てて義久の病気養生を祈願するなど、相良家存続に心を砕いたようです。

早世した忠房の跡を長毎が継いだ時、世の中は豊臣秀吉の時代でした。1587（天正15）年に秀吉の九州平定が始まると、宗方は時勢を読み、島津を見切って素早く動きます。

深水家の菩提寺だったとされる長命寺跡の深水観音堂に立つ宗方の墓。周りを五輪塔（墓）や石灯籠などが囲んでいます

島津の大友攻めに従っていた長毎を急ぎ呼び戻し、休矣と共に島津方の首級も携えて佐敷まで来ていた秀吉に拝謁。宗方が連歌名人と聞いた秀吉に招かれた宴で、宗方は「草も木もなびき従ふ五月雨の天の恵みは高麗（こま）百済まで」と詠んでみせ、既に朝鮮出兵が頭にあった秀吉を大いに喜ばせたそうです。

秀吉は島津氏降伏後の5月27日、宗方宛の朱印状で、宗方に水俣城を預け、肥薩間の国境を取り決めるので28日に佐敷に来るようにと伝えます。その席で、長毎に球磨が安堵（あんど）されました。出合さんは「まだ10代の幼い領主を助けて球磨を守った宗方最大の功績」と評します。

宗方は59歳で亡くなる前年の１５８９年、長毎らと共に十島菅原神社本殿を建て替えています。主君を案じる願いが通じたのでしょうか。長毎は初代人吉藩主となり、現在の人吉城や城下町の整備などに力を注ぎます。しかし、事はこれで収まりませんでした。

嫡子を亡くしていた宗方の跡は養子の頼蔵が継ぎますが、犬童休矣の子の頼兄（後の相良清兵衛）とは折り合いが悪かったようです。１５９６（慶長元）年、一門同士の対立で深水一族は清兵衛一族に襲われ、70人余りが亡くなります。

一方の清兵衛も、関ケ原の戦いでの知謀など長毎の下で存分に腕を振るいますが、専横が目に余るとして、21代頼寛が江戸幕府に訴えて弘前に流罪。一族も滅ぼされました。

出合さんは「幼い領主を助けた家臣同士の争いは、『鎌倉殿の13人』の世界を見るようです。宗方の業績は人吉球磨ではあまり知られておらず、より多くの人に関心を持ってほしい」と話しています

【メモ】
深水宗方の墓はもう一つ、人吉市の人吉城跡の南に位置する中尾観音堂のそばにあります。墓石は宗方の遺言で南向きに建てられたそうです。自分の死後も南の島津勢から相良家を守ろうとしたのでしょうか。

〈甲佐町＝町指定史跡〉

陣ノ内館跡（じんのうちやかたあと）（2019年6月1日付）

壮大な〝未完〟の城か　今も残る数多くの謎

甲佐町豊内にある町役場のすぐ東にある高台が標高100㍍の免ノ山です。集落より60㍍ほど高い頂に広がる陣ノ内館跡に登ると、西側に岩下の商店街、南は緑川の先にある美里町の堅志田城跡の辺りまで見渡すことができます。

戦国の武将の目には、人の往来や敵の動きを手に取るように把握できる城の好適地と映ったことでしょう。主郭はほぼ正方形で、尾根筋に当たる北と東は幅20㍍、深さ7㍍、総延長400㍍もの空堀と盛り土の土塁で守られています。

「主郭部分だけで約3㌶。これだけの城郭を築くのは一国の領主クラスでないと無理だったと思います」と甲佐町教育委員会社会教育課の上髙原聡さんが言います。ところが、誰がこの城を造ったのかが、はっきりしませんでした。

江戸中期の「肥後国誌」には、南北朝時代（14世紀）の阿蘇大宮司惟時の館などとして出てきます。主郭からは14世紀ごろの中国の青磁の破片なども出土しています。

しかし、上髙原さんによると、今に残る館跡の造りは「中世ではなく、織豊時代の城郭の特徴が見て

北東から見た陣ノ内館跡（陣ノ内城跡）の全景（甲佐町教育委員会提供）

取れる」そうです。

上高原さんの案内で北側の空堀に西の端から下りてみました。東の奥までまっすぐ延びる空堀と土塁の迫力は、自然の地形を生かし、小さな労力で最大の防御効果を狙った中世山城の空堀や土塁とは明らかに違います。

甲佐町で織豊時代というと、キリシタン大名の宇土城主・小西行長が頭に浮かびます。「中世からあった阿蘇氏の館を、国衆一揆後に県南を治めることになった小西が大改修したという説もあります」と上高原さん。

仮にそうだとして、謎はまだあります。「主郭の一部を発掘調査した際には建物の痕跡が見つからず、遺物などから人の生活のにおいが感じられないことです。築城途中でやめてしまったのではないかという見方もあります」と上高原さんが言います。小西行長は1600（慶長5）年の関ケ原の戦で西軍に加わり、京都で処刑されました。豊臣秀吉没後の争乱を見越して守りを固めようとしていたのかもしれません。

江戸初期の1633（寛永10）年、幕府が細川氏入国直後の肥後に巡検使を派遣した際の受け入れ準備を検討する細川家の文書が残っています。巡検使は矢部で、小西が支城にもした矢部城を見てから、「土井之内」（どいのうち＝現在の豊内）に宿泊したようです。この地を念入りに調べたのでしょうか。

時期はちょうど１６３７（寛永14）年に起きた天草・島原一揆のころ。館跡に関する当時の文献がほとんどないことも含め、キリシタン大名だった小西行長が関係しているように思えてなりません。

【メモ】

陣ノ内館跡は大規模な堀や土塁など、豊臣系大名の城の特徴があります。１５８８（天正16）年に肥後南部に入部した小西行長が阿蘇氏の拠点跡に築いた城とみられ、遺構も良好に保存されていたことから、２０２１（令和３）年10月に「陣ノ内城跡」と名前を改めて国史跡に指定されました。

〈南関町＝未指定文化財〉

南関城跡（なんかんじょうあと）

（2021年7月17日付）

北の守り固めた清正の城　徹底破城で痕跡も残らず

元の南関町役場庁舎は入り口が旧豊前街道に面していました。その敷地のすぐ北に国史跡の南関御茶屋跡があります。江戸時代の参勤交代では藩主らが宿泊や休憩などに使いました。

御茶屋跡の奥には急な台地の斜面が迫り、その上に今回ご紹介する南関城（鷹ノ原城）跡が広がっています。加藤清正が自ら縄張り（設計）したとも伝わりますが、築城からわずか15年ほどで破城となり、長く歴史の中で眠っていました。

南関は古代には官道の大水（おおうず）駅が置かれ、平家物語には「大津山の関」が登場する交通の要衝。九州自動車道南関インター付近で東に見える標高256メートルの大津山には室町時代、大津山氏が藟嶽（つづらがたけ）城を構えていました。

「清正は肥後の北の守りとして、藟嶽城改修ではなく、標高100メートルほどの台地に南関城を築きました」と南関町教育委員会の遠山宏さんが言います。

御茶屋跡の上が本丸、その北に二の丸、西に三の丸という「L」字形の配置で、総面積は17万平方メートルもありました。豊臣秀吉が朝鮮出兵の拠点として築いた肥前・名護屋城に匹敵します。ただ、地表に石

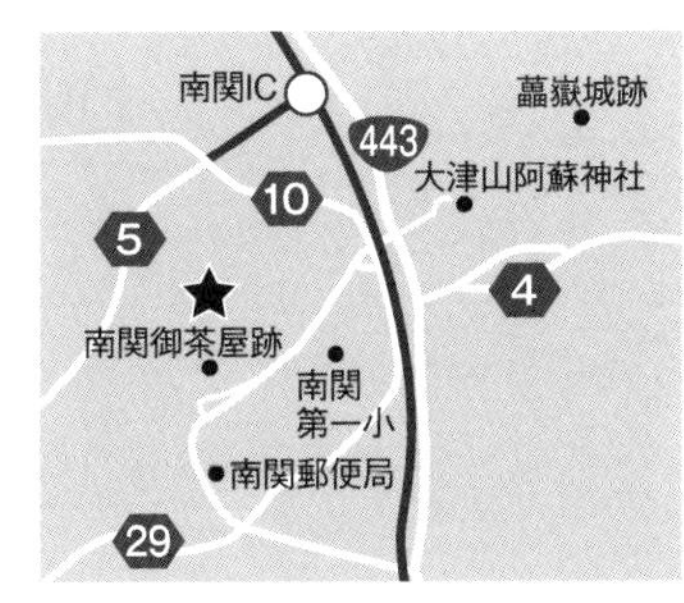

南関城跡の本丸と三の丸の間で最初に出土した石垣の説明会。手前が空堀の底に埋められていた割石。奥の本丸側斜面には壊されずに残った石垣が姿を現しています＝1999（平成11）年3月、資料写真

垣などの痕跡はなく、本格的な城ではなかったと思われていたそうです。

　ところが、南関町教委が1997（平成9）年度から始めた発掘調査で、本丸と三の丸の間にある空堀の底から石垣に使ったと思われる割石が出土。さらに本丸側の斜面からは、破壊されずに残った石垣が姿を現し、関係者を驚かせました。本丸は高さ12㍍を超える高石垣の隅などに瓦葺（ぶ）きの櫓（やぐら）を築き、東と西の門は枡形虎口（ますがたこぐち）で守りを固めてありました。石垣の組み方や傾斜なども含め、「熊本城のプロトタイプと考える研究者もいます」と遠山さん。

　南関城の築城時期は、1600（慶長5）年の関ケ原の戦い直前とする説もあります。徳川家康の東軍に付いた清正は宇土の小西行長、久留米の毛利秀包（ひでかね）、柳川の立花宗茂ら西軍方の諸大名に囲まれ、何としても国境を固める必要があったはずです。

　それほどの城ですが、清正が没して4年後の1615（元和元）年、徳川幕府の一国一城令で加藤氏の手によって破却されます。さらに、文献上の記録はありませんが、1637（寛永14）年に起きた天草・島原一揆の戦後処理で細川氏が徹底的に破却したようです。

「石垣は突き崩すだけでなく、落とした割石を空堀の底に敷き詰めるように並べて作業の邪魔にな

らないようにし、隅石の基礎まで壊して埋めてありました。まるで城があったことさえ悟られまいとするような意志を感じます」と遠山さん。

島原で原城の攻防を経験した細川氏が、一揆などの敵対勢力に使わせないようにしたというだけでなく、「ミニ熊本城」とも呼ばれる縄張りから熊本城の秘密が漏れるのを心配したというのは考えすぎでしょうか。

遠山さんは「文化庁からも史跡として高い評価を得ています。この貴重な城跡を、後世にきちんと残したい」と話します。

【メモ】

本丸西側の発掘で、石垣の隅の地下から破城に携わった人が落としたとみられる寛永通宝が出土しました。1636（寛永13）年ごろから水戸で鋳造されたもので、このことから南関城が二度目の破却を受けたことがはっきりしたそうです。

〈長洲町＝町指定有形文化財〉

立花宗茂公夫人の墓（２０２１年12月４日付）

７歳で城主を継いだ姫君　関ケ原後に長洲の地で終焉

長洲町腹赤の腹栄中南東に接する木立の中に風変わりな墓があります。筑後柳川藩主立花家初代、宗茂の正室・誾千代（ぎんちよ）の墓です。墓石に大きな丸石が載り、「地元で『ぼたもちさん』と親しまれ、皆さんが手入れを続けています」と長洲町教育委員会生涯学習課の中山太喜さん。柳川の殿様の奥方の墓が、なぜ長洲にあるのでしょうか。

誾千代は戦国の動乱が続く１５６９（永禄12）年、豊後・大友氏の重臣、戸次道雪（べっきどうせつ）の娘として生まれました。道雪には男子がなく、大友家は博多湾を見下ろす立花城の城主だった道雪に戸次一門から養子をとるよう勧めます。「ところが道雪はそれを断り、まだ数えで７歳だった誾千代に家督を譲って大友家もそれを認めています」と中山さん。今でいえば年長組か新１年生ほどの「女城主」の誕生です。

そして、同じ大友家臣の高橋紹運に頼み込み、嫡男の統虎（むねとら、後の宗茂）を婿養子に迎えます。統虎15歳、誾千代13歳でした。誾千代から家督を継いだ統虎は名字を「立花」と改め、豊臣秀吉の島津攻めに合流。多くの武功を立て、わずか21歳で柳川城主に取り立てられます。戦上手なだけでなく、球

長洲町腹赤にある誾千代の墓。墓石の上に半球形の石が置いてあり、その上の丸石は直径が1メートルあります。墓石には「光照院殿泉誉良清大姉」の戒名と1602(慶長7)年10月17日の日付が刻まれています

磨の剣豪・丸目蔵人からタイ捨流剣術の免状を受けるほどの猛者でした。朝鮮出兵でも加藤清正らと勇名をはせます。

しかし、誾千代はそのころ城を出て、すぐ南の宮永村で実母と暮らし始めます。「子どもを授からず、夫婦仲が悪かったとする見方もありますが、不仲を裏付ける一次資料はありません」と中山さんが言います。

統虎は１６００(慶長５)年の関ケ原の戦いで、秀吉からの恩義を理由に西軍に付きます。立花家は改易されますが、加藤清正が多くの家臣を召し抱え、統虎は徳川幕府への申し開きのため江戸に向かいました。

一方、誾千代は母と腹赤村へ。柳川家の文書では誾千代の傳役(もりやく)を出した十時家の人間が腹赤村の農民「市蔵」の屋敷に居宅を用意し、世話したそうです。清正も誾千代に兵糧を送ったことを立花家重臣に書き送っています。

しかし、１６０２年７月、誾千代はマラリアのような熱病で衰弱。10月17日に世を去り、葬られたそうです。戒名は「光照院殿泉誉良清大姉」。享年34でした。

長洲町の古文書では、ぼたもちさんの由来について１６０１年２月、近くの阿弥陀寺に柳川の女性が１人で来て、10月17日に古井戸に身を投げたとあります。しかし、それが誰か記載はなく、時期も１

年違います。いろいろな伝聞や臆測があったのかもしれません。

柳川市にある立花家史料館長の植野かおりさんは「誾千代が城を出たのは、後に継室になる女性への配慮や、まだ誾千代を正統な後継者と考える道雪以来の家臣団と、統虎が取り立てた新家臣団との間に確執があったことも考えられます」と話します。

江戸での統虎は家康や秀忠の信任も厚く、現在の福島県で1万石の大名に復帰。名を「宗茂」と改めます。1620(元和6)年、柳川城主に返り咲くと加藤家に預けた家臣団を呼び戻し、翌年には城のすぐ北に誾千代の菩提(ぼだい)を弔う良清寺を創建しました。誾千代の「誾」は「打ち解け、穏やかに議論する」という意味があるそうです。お家騒動につながりかねない芽を自ら摘もうとしたのかもしれません。

【メモ】

近年、立花宗茂・誾千代夫婦への関心が高まっていることから、長洲町は「ぼたもちさん」近くに駐車場を設けるなど、周辺を整備する事業を進めています。

〈熊本市東区＝未指定文化財〉

江津塘（えづども）

（2021年8月21日付）

湿地帯の湧き水を集め湖に　治水の神様・清正の遺業

南北アメリカ大陸の相似形のように見える江津湖の西岸には、湖面から3〜4㍍ほどの高さで堤防が続き、その上を上江津湖では市道、下江津湖では県道が通っています。この堤防が江津塘。加藤清正が治水のために造ったと伝わります。

由来を伝える文献の一つが、八代の文政干拓などを手掛けた江戸時代後期の惣庄屋・鹿子木量平による清正の事績集「藤公遺業記」です。熊本市文化財課の西村沙保里さんが教えてくれました。

江津湖は元々、湿地帯を流れる「江津川」が広がってできた河川膨張湖だったようです。序文に1832（天保3）年とある遺業記には、清正が現在の東区江津1丁目辺りから南区川尻の辺りまで約10㌔に及ぶ堤防を築き、水前寺以南の湧き水を集めて画湖（江津湖）にしたとあります。さらに沼山津川、木山川なども合わせて加勢川とし、緑川に合流させたと続きます。

もう一つの資料は徳川幕府が各大名に提出させた国絵図です。1605（慶長10）年頃に描かれた慶長の肥後国絵図では江津川の東に「江津村」が描かれています。しかし、それから30年ほど後の正保年間（1644〜1648）の国絵図では江津村が川の西にあります。湖水が広がるのに伴って村を移し

上空から見た江津湖。右側の岸辺に江津塘が築かれています。手前が上江津、奥が下江津です（資料写真）

たとみられます。

清正の死去が１６１１（慶長16）年。その後、加藤家改易で細川家が熊本に来たのが１６３２（寛永９）年で、西村さんは「加藤家の文書は散逸して工事の記録などは見つかっていませんが、江津塘の築造は加藤家時代の可能性が高いと思います」と話します。以来４００年余り。堤防の造りは頑丈で決壊知らず。熊本地震で大きな被害も出ませんでした。

考えてみれば、清正は熊本城などの築城名人であるだけでなく、土木・治水の神様とも呼ばれます。白川から農業用水を引く熊本市の渡鹿堰（とろくぜき）や甲佐町にある緑川の鵜の瀬堰、八代市の球磨川の遙拝堰や萩原堤など、枚挙にいとまがありません。

江津湖では城下側の湿地改良と防災のため西岸に築堤したことで南東側は湖や遊水地になりました。「しかし、清正が南東側を見捨てたわけではありません」と西村さんが言います。

元々は加勢川に流れ込んでいた御船川の流路を緑川に付け替え、「鯰（なまず）」など、水にまつわる地名が多い嘉島町の土地を改良しています。清正が広い視点で土木・治水に取り組んだことが分かります。

さて、細川忠利が熊本入りして２年後、領内の郡奉行宛てに出された触状に、各郡の川札銀（通行料）

は赦免するが、託麻郡の「江津之池」と玉名の丸池、川尻御茶屋前の川の3カ所は藩主の慰め所で（整備費もかかるので）除外する、とあります。既に江津塘ができ、美しい湖水が広がっていたことがうかがえます。

西村さんは江津湖近くで生まれ育ち、今も散歩に訪れるそうです。「清正は実務一辺倒で江津塘を造ったようです。中村汀女や夏目漱石らの句碑が点在し、市民のオアシスとして親しまれる現在の江津湖を見たらどう思うでしょうか」と話します。

【メモ】

江津湖一帯は縄文・弥生時代から人が暮らしたようです。水稲栽培が始まったのも早かったのかもしれません。下江津湖の湖底にあった遺跡からは弥生土器が出土しています。

〈人吉市＝国指定史跡〉

人吉城跡 （2019年1月19日付）

発掘調査の成果を基に　史跡の価値生かす整備

球磨川沿いに広がる人吉城跡の西外曲輪（にしそとくるわ）は、江戸時代に相良家重臣らの武家屋敷群があった場所です。今は見晴らしのいい芝生広場ですが、以前は曲輪の北東部が「城内グラウンド」として野球の試合やイベントなどに使われ、その西に市文化センター、南には市役所本庁舎がある状態でした。

市は1984（昭和59）年に人吉城跡の保存整備基本計画を策定し、整備を進めます。市教育委員会歴史文化課主任の岸田裕一さんは「計画に示されているように歴史的、文化財的な価値を生かすことを基本に、訪れた人が歴史を体感できるように整備されてきました」と話します。

1997（平成9）年には、計画に沿って取り壊された文化センター跡の発掘調査がありました。江戸初めの絵図では、家老・相良清兵衛の屋敷があった場所です。関ケ原の戦いなどの功があり、多くの神社寺院を修復し、人吉藩政の主導的な役割を担った人物ですが、やがて藩主にうとまれ、幕府の沙汰で津軽（青森県）へ流されて88歳の生涯を終えます。

その屋敷の地下から、予想もされなかった遺構が出土しました。南北8・5メートル、東西9メートル、深さ3メートル

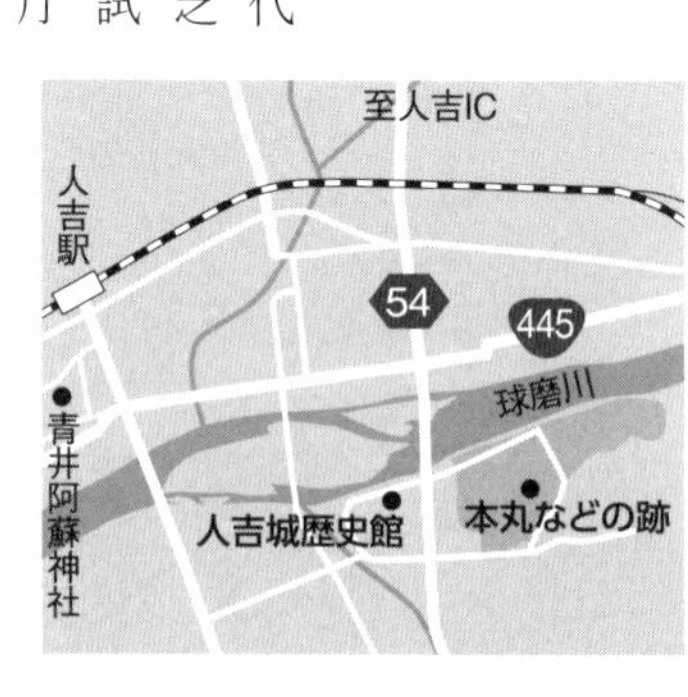

芝生広場の手前左が人吉城歴史館。右が市役所本庁舎跡。右奥の森に覆われた丘陵が中世人吉城跡（人吉市教育委員会提供）

以上の、石組みで囲われた地下室です。南西と北東の角に石段があり、底に設けられた長方形の井戸状の施設からは大量の桃の種や1振りの刀が出土しました。

その4年後、清兵衛屋敷の東に位置する嫡男の屋敷跡でも同じような地下室が見つかりました。二つの地下室は１６４０（寛永17）年に清兵衛屋敷周辺で起きた「御下（おしも）の乱」後、破壊して埋められたようですが、その用途など、藩の記録には一切出てきません。全国に例のない地下室は何に使われ、なぜ記録に残らなかったのか。いろいろな説があり、現在も解明されていません。

清兵衛屋敷の地下室は、屋敷跡に建てられた人吉城歴史館内にあります。「動乱の時代が生み出した希代の英傑・清兵衛が残した大きな謎です」と岸田さん。

市役所本庁舎は熊本地震の影響で解体され、一帯の地下遺構を確認するための発掘調査が２０１８年に行われています。絵図に描かれた江戸時代の屋敷割りと整合するように塀の跡などの石列が出土し、これからも新たな発見が期待されます。

調査を担当した岸田さんは、「人吉城跡の魅力は、近世城郭の背後に山城の中世城郭があり、城の地形や地下遺構が良好に残っていること。中世から近世への変遷を知ることができる城郭は全国でも少なく、この特徴を生かせるように調査、整備、活用をしていきたい」と話します。

【メモ】

２０２０（令和２）年７月豪雨で球磨川が氾濫し、人吉城跡も被災して清兵衛屋敷跡の地下室なども見学できなくなりました。その後、城跡の復旧が進み、人吉城歴史館も現地での再開に向けて準備が続いています。

〈苓北町＝町指定史跡〉

富岡城跡（とみおかじょうあと）（2020年6月20日付）

海に突き出た天然の要害　〝封印〟された攻防の痕跡

今回は、江戸時代の初めに起きた天草島原の乱で大きな転機となる激戦があった富岡城のお話です。

天草灘に突き出た富岡半島には中世から山城があり、「天草五人衆」の志岐氏も出城を構えた要害でした。五人衆を退けた小西氏が関ケ原の戦いで滅ぶと、天草は肥前・唐津藩主の寺沢広高領となり、広高はその出城を改修して富岡城を築きます。

「1621（元和7）年には、富岡城の城代として寺沢家の三宅藤兵衛が入りました」と苓北町文化財保護委員長の田尻幹雄さんが教えてくれました。NHK大河ドラマ「麒麟がくる」で、明智十兵衛光秀に付き従っていたいとこの左馬助（秀満）の息子で、細川ガラシャのおいとされています。

苓北町の富岡城調査報告書などによると、1637（寛永14）年10月24日、有明海に浮かぶ湯島（上天草市）で天草と島原の一揆衆リーダーが集まって策を練り、翌日には島原で一揆衆が決起して代官を殺害。26日には大矢野で寺が焼き打ちに遭うなど、天草島原の乱は一斉蜂起でした。

藤兵衛は唐津に急を告げ、援軍1500人が11月10日に富岡着。大矢野から押し寄せてくる一揆勢に備えて本戸（本渡）に向かいますが、14日の戦いで敗れ、藤兵衛も落命。唐津勢は富岡籠城を決め、19

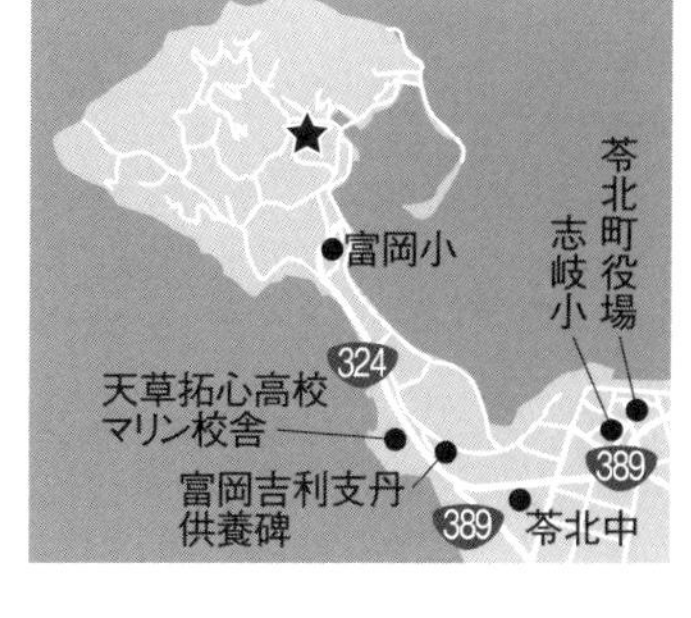

日と22日の二度にわたる一揆勢の猛攻を何とかしのぎました。これが、天草では最後の激戦となりました。

翌日、一揆勢は城から引き上げます。唐津の援軍第2陣到来の情報も入ったようです。一揆勢は島原勢と合流して原城に籠城し、翌年2月末に壮絶な最期を迎えました。

1999(平成11)年5月、城の復元に向けた二の丸の石垣解体調査中に積み石が崩れ、奥から二重の石垣が現れました。当時、苓北町教育委員会職員で調査を担当した田尻さんは「最も奥の石垣が天草島原の乱当時のものでした。真っ黒いすすや油状の物質がこびりつき、攻防の激しさを示していました」と話します。

寺沢氏が領地を没収された後、富岡城主になった山崎家治が二の丸の痕跡を〝封印〟しようとした急ごしらえの石垣が崩れ、さらに外側に本格的な石垣を組んだようです。

復元された二の丸石垣。最も奥の黒くくすんだ部分が天草島原の乱の痕跡が残る石組みです

乱の背景には、過酷な年貢やキリシタン弾圧、小西家などの旧家臣の不満があったとされます。山崎氏の後、代官として幕府直轄領になった天草に入った鈴木重成は天草復興に尽力するとともに「富岡吉利支丹供養碑」を建てて死者を弔い、家督を継いだ重辰の時代には天草の石高半減が実現しました。

田尻さんは「徳川幕府は発足してすぐ、追い込まれた民衆の怖さと、戦のむごさを思い知ったはず。この乱が幕府を明治維新まで支える教訓の一つになったと思います。富岡城跡はそれを伝える史跡です」と話します。

【メモ】
国立国会図書館所蔵の「肥前甘艸富岡城図」は、細かく記された寸法が発掘調査結果と一致。富岡城復元事業はこの絵図を基に進められました。

〈熊本市中央区＝市指定有形文化財〉

六所宮(ろくしょぐう)の鳥居(とりい)

（2021年1月16日付）

年代分かる県内最古の鳥居　西南戦役で藤崎台から移転

熊本市中央区井川淵町にある藤崎八旛宮境内の南側出入り口に、高さが異なる2本の石柱がありました。それが六所宮の鳥居の柱です。2016年の熊本地震で上部が倒壊しましたが、部材はほぼ残っていて無事に修復されました。この鳥居の倒壊は少なくとも二度目。その歴史をご紹介します。

藤崎宮の参道から二の鳥居をくぐり、右手の能楽殿と回廊の間を進んだ奥に、六所宮の社殿があります。春日、加茂、松尾、稲荷、祇園（八坂）、貴船の6柱をまつることから六所宮。熊本藩2代藩主・細川光尚の氏神でした。

「細川家重臣の沢村大学が1644（正保元）年、光尚の命で細川家の以前の領国だった豊前・中津の六所宮を勧請しました」と熊本市文化財課の松永直輝さんが教えてくれました。

沢村大学は細川家で足軽から身を起こし、関ケ原をはじめ数々の戦で功を重ねた人物です。1637（寛永14）年に起きた天草・島原の乱では、当時78歳ながら初代藩主の忠利や光尚らとともに出陣。18歳で初陣だった光尚の守役として原城攻めに臨んだようです。

出陣前、大学が忠利と光尚親子の武運長久を祈って藤崎宮に寄進した石灯籠と銘文を刻んだ石碑が

藤崎八旛宮境内の南に残る、六所宮の鳥居の修復前の石柱。右の柱に造立年が刻まれています

残っています。六所宮の勧請は、細川家が島原で武功を立て、無事生還できたことへの感謝の意味もあったのかもしれません。

勧請の翌年、現在の藤崎台に社殿が造立されます。場所はリブワーク藤崎台球場外野席奥のクスノキ群がある坂道の下。藤崎八旛宮も935（承平5）年に、国の安寧を願って藤崎台に勧請されたと伝わり、クスノキ群はその鎮守の森でした。

六所宮の社殿造立から3年後の1649（慶安2）年に鳥居が建てられます。地震で残った右側の柱に「慶安二己丑歳九月十一日」の文字が刻まれていました。

「おかげで、この鳥居は玉名市の繁根木八幡宮の鳥居＝1652（慶安5）年＝より古く、建築年代がはっきりしている県内最古の鳥居と分かりました」と松永さんは言います。柱が2段継ぎで左右の高さが異なることも、江戸時代前半以前の特徴だそうです。

1877（明治10）年、西南戦争で藤崎台周辺は戦火に巻き込まれます。藤崎宮や六所宮は焼失。跡地は軍用地になり、両宮とも現在地に移転しました。

移転前の鳥居の写真を見ると、柱の上部は形が異なっていることから、移設の際に柱上部が別の石に取り換えられたとみられていました。ところが、「地震で倒壊した部材の文字の彫り方が、やはり江戸時代前半以前に使われていた、手間のかかる『切薬研彫（きりやげんぼり）』だったことから、造立時の石を補修して使っていた可能性が高まりました」と松永さん。

藤崎八旛宮と六所宮が現在地に移って１４０年余りですが、場所を変えてそれぞれ１１００年近くと４００年近くの歴史を重ねてきたことが分かります。


【メモ】

西南戦争以前にも行われていた藤崎宮の随兵行列は、藤崎台から西に進み、井芹川近くにあった御旅所まで直線距離で５００㍍ほどの行程でしたが、獅子舞なども加わりにぎわったそうです。

〈菊陽町＝町指定有形文化財〉

西園寺随宜の墓

（2019年11月2日付）

細川氏が世話した　左大臣家の跡取り

大津町との境に近い菊陽町原水を流れる瀬田上井手沿いの町道から、少し上った坂道の途中に西園神社があります。

祭られているのは西園寺随宜＝本名・公宜（きんのぶ）。江戸の初め、当時の朝廷で天皇に次ぐ地位の左大臣にまで昇り詰めた西園寺實晴（さねはる）の子です。社殿右手の玉垣で囲った墓碑の裏面に「西園寺左大臣實晴男随宜之墓」と刻まれています。

なぜそんな人物の墓が菊陽町にあるのでしょうか。町教育委員会生涯学習課の岡本勇人さんが、「西園寺随宜は明智光秀の娘・玉、つまり細川ガラシャのひ孫でした」とヒントをくれました。

細川忠興と玉との間に生まれた嫡男・忠隆は、前田利家の娘・千世を正室に迎え、長女の徳が生まれます。徳が京都の公家・西園寺家21代の實晴に嫁ぎ、その末子として生まれたのが随宜です。

随宜は西園寺家25代を継ぎますが、１６６５（寛文５）年、40歳の時に母親が亡くなると跡取りの座を捨ててしまいます。そして、母方の叔父の長岡忠春を頼って肥後に移り、その領地だった菊陽町東部の入道水（にゅうどうみず）村で暮らしたということです。

西園神社境内にある随宜の墓。地元の人々の手で丁寧に清掃されています

「歴史書には、随宜は幼いころから隠遁（いんとん）の志があったと書かれているだけですが、政治に嫌気が差したと考えてもいいように思います」と岡本さん。

例えば、祖父母の忠隆と千世のことです。関ケ原の戦前、細川ガラシャは西軍の人質になるのを拒んで死を選びました。その時、同じ細川屋敷にいた千世は、事前にガラシャが逃がしたという説もありますが、生き残ったため忠興が激怒。忠隆に千世と離縁するよう迫り、それを拒んだ忠隆を勘当・廃嫡してしまったとされています。徳川家康が煙たがった前田家との縁を切るためだったとの見方もあります。

入道水村に移って5年後、随宜は45歳でこの世を去ります。後には女官との間に幼い須屋姫（安姫とも）が残されました。そこへ西園寺家の使いが来て、姫と女官らを京都に連れて戻ったそうです。須屋姫はその後、鷹司家から婿を招いて西園寺家を継ぎ、明治から昭和にかけて首相や元老を務めた西園寺公望へとつながります。

ところで、廃嫡された忠隆は長岡休無（きゅうむ）と号し、京都で暮らします。千世が前田家に戻った後に迎えた喜久との間に生まれた忠春が肥後で知行を得て随宜を世話し、西園寺家存続に貢献しました。後年、忠興は休無と和解し、八代に住むよう促しますが、断られたそうです。

そうやって休無が築いた朝廷や公家とのパイプが、幕末まで続く細川家の情勢判断にも貢献したことでしょう。岡本さんは「随宜のことを考えると、やはり細川家のしたたかさ、すごさを感じます」と話しています。

【メモ】
西園神社は地元で歯の神様などとして親しまれ、歯痛が治ると豆腐を供えたそうです。随宜の好物だったのでしょうか。墓前には豆腐を供える石の三方が据えられています。

〈湯前町＝県指定重要文化財〉

下里御大師堂附厨子（しもざとおだいしどうつけたりずし）

（2021年9月18日付）

県内で最古の弘法大師堂　解体修理で新たな資料も

人吉市から国道219号で湯前町に入り、湯前郵便局手前を左折すると下里の御大師堂があります。県内最古の弘法大師堂です。初の解体修理で堂の屋根まで覆う足場囲いの中に礎石だけ残っていました。

「ここにはかつて吉祥院というお寺がありました。御大師堂はその境内にあったとされ、1773（安永2）年の『球磨絵図』でも一緒に描かれています」と湯前町教育委員会教育課の日髙優子さん。正確な記録はありませんが江戸初期の建築とみられます。本体は一つの壁に4本の柱が見える三間堂で幅、奥行きとも約4・6㍍の寄せ棟造り。茅葺（かやぶ）きで周囲に回り縁があります。

設計監理を担当する文化財保存計画協会（東京）の武田学さんが「2020（令和2）年の豪雨後も内部に漏水跡はなく、地元で定期的に茅を葺き替えるなど大切に守ってこられたことが分かります」と言います。正面の向拝は昭和初めの後付けとみられていましたが和くぎが使ってあり、幕末から明治の初めごろまでさかのぼる可能性があるそうです。

堂内には1581（天正9）年の年号がある須弥壇（しゅみだん）と厨子が置かれ、中に1400（応永7）年の墨書が残る県指定重要文化財の木造弘法大師坐像を安置してあります。御堂本体は堂内に

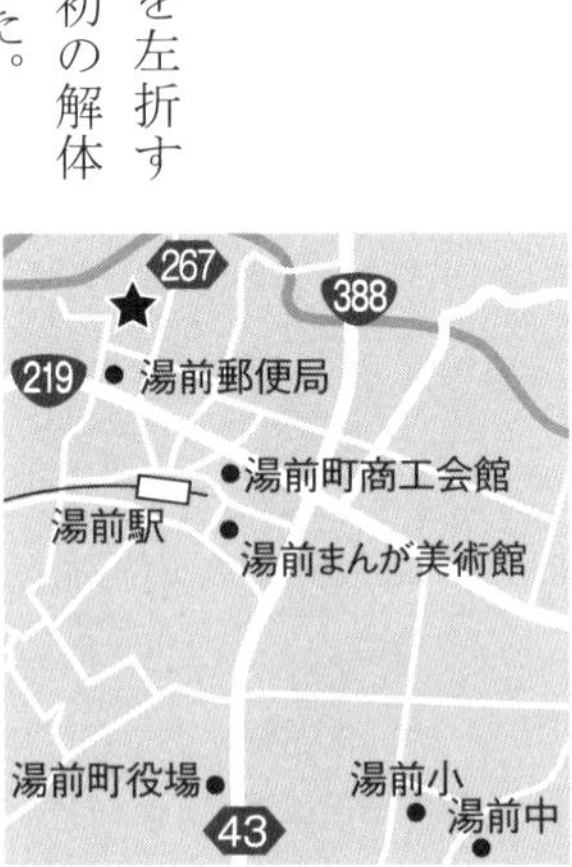

解体修理が終わった下里御大師堂(湯前町教育委員会提供)

あった1679(延宝7)年の祈祷(とう)札から延宝年間の建築とみられていました。

解体修理で壁板や天井板を外すと、隠れていた面に「延宝四年」(1676年)の墨書が多数残っていました。「後から落書きできるような場所ではないので、延宝年間のものであることがより確実になりました」と日髙さん。

御大師堂の建築には、当時は珍しくありませんが解体した別の建物の転用材がかなり使ってあります。例えば背面などの回り縁の板を支える縁葛(えんかずら)という横木には、半円の切り欠きが3カ所ありました。

「元は丸柱を挟んでつなぐ長押(なげし)で、切り欠きの径や間隔から五間堂相当の建物の材だった可能性があります」と武田さん。そして、「表から見える縁葛に切り欠きのある転用材を使ったのは、後で交換しやすい場所なので補修の時にいい材に替えるつもりだったのでは」と当時の大工の意図を推察します。

余談ですが丸柱は、まず丸太から断面が正方形の角柱を切り出し、それを八角形、十六角形、三十二角形と削って円形にするという手間のかかる加工で、本堂などに使われます。御大師堂の柱は角柱ですが、武田さんは「柱の角を丁寧に面取りし、上部を細く削る粽(ちまき)に仕上げるなど、手を抜いた跡がありません。長押の新材には、節のないきれいな面ではなく多い面を表に使うなど、転用材とのなじみのよさに配慮した大工のこだわりを感じます」と言います。

五間堂といえば、多良木町にある国重要文化財の青蓮寺阿弥陀堂の規模。元はどんな建物だったのか興味が募ります。日高さんは「吉祥院の本堂などから転用した可能性もあります。転用材からはまだ墨書などは見つかっていませんが、赤外線調査などで新たな発見があるかもしれません」と話しています。

【メモ】

須弥壇の羽目板に名前が残る関東常州（現・茨城県）の彫刻師・塗師の賀吽（がうん）は球磨地方で他にもいくつか作品を残しています。御大師堂の解体修理工事は２０２３（令和５）年１月に完成。材木の年代測定で、転用材は15世紀中ごろのものと判明しました。また、正面の向拝も創建当初からあったとみられることが分かったそうです。

〈球磨村＝県指定重要文化財〉

神瀬住吉神社（こうのせすみよしじんじゃ）

（2022年1月15日付）

大洪水で流失の言い伝え　元禄期の特徴を残す社殿

球磨村の北西部に位置する神瀬地区。東から流れてきた川内川が、北へ向かう球磨川に合流する地点の右岸高台に、806（大同元）年創立と伝わる神瀬住吉神社があります。球磨村教育委員会社会教育係の杉本慧和（けいな）さんの案内で神社を訪れ、鳥居前から見上げると石段の下半分が新調されていました。

「2020（令和2）年7月の熊本豪雨災害では、新調したばかりの石段の途中まで水没しました」と杉本さん。神社前の国道219号は取材に訪れた時も一般車両が通れず、周辺では復旧や住民の生活再建に向けて工事が続いていました。

「この神社は創立当初、川内川のほとりに建てられ、大洪水で社殿が流されたと伝わります」と杉本さん。「ところが、一緒に流失したご神体が球磨川の瀬の中で見つかり、住民は大いに喜んで社殿をこの高台に再建して安置したとされています」。これが「神瀬」の地名の起こりということです。

境内と集落の標高差は10㍍ほどあります。熊本豪雨災害では多くの民家が水没。川内川対岸の高台にある神瀬保育園に大勢が避難し、住吉神社境内にも7人が身を寄せ、難を逃れたそうです。神社の由来は貴重な防災の記憶ともいえます。

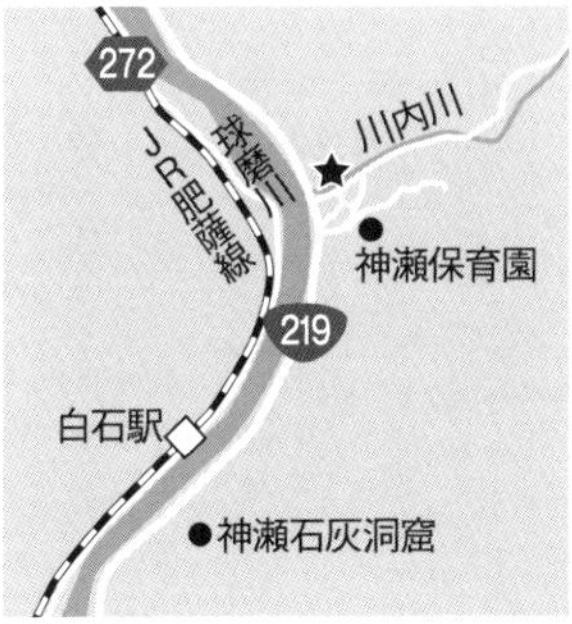

「神社の棟札の記録で最も古いのは文永年間（１２６４～１２７５）に再興されたという項目です」と杉本さん。そのころ大洪水があったのでしょうか。その後、１４９６（明応５）年にも再興、１５３３（天文２）年に本殿造営、１６８４（貞享元）年に拝殿修造などと続きます。

本殿の屋根は板葺（ぶ）きで、柱は加工に手間のかかる丸柱を使ってあります。装飾の様式なども含め、元禄期（１６８８～１７０４）の建築とみられるそうです。本殿を守る覆い屋や拝殿、鳥居と合わせて県の重要文化財に指定されています。

祭神は底筒男命（そこつつおのみこと）、中（なか）筒男命、上（うわ）筒男命のいわゆる住吉三神。大阪の住吉大社と同じです。住吉大社は古代から、遣唐使船など中国や朝鮮半島と行き来する船の航海を守る神として信仰を集めました。

神瀬住吉神社の社殿。細長い拝殿の奥に、人吉球磨に多い「覆い屋」に守られた本殿があります

「神瀬住吉神社も球磨川を通る船の安全や豊漁を願う水神様とされています」と杉本さんが言います。境内には、水運の難所の神瀬を行き交う船を見守るように、れんが造りの灯台形の灯籠が立っています。

境内には土俵もしつらえてあり、毎年11月12日の例大祭には子ども相撲が奉納されます。大阪の住吉大社も相撲とのつながりが深く、大相撲の横綱土俵入りや秋には近畿の高校生の相撲大会も催されるそうです。海と川との違いこそあれ、同じ信仰を通じて育まれてきた習俗が今に続いていることを実感します。

神瀬住吉神社の例大祭では、ほかにも川内川沿いの住民が武将のいでたちで演じる「住吉谷奴（やっこ）」の出し物などもあるそうです。「源平合戦を題材にした狂言の一種です。こうした祭礼や民俗芸能が人口減少や災害、新型コロナなどの影響で廃れたりしないようにお手伝いをしていければと思っています」と杉本さんは言います。

【メモ】

国道219号は2020（令和2）年7月の熊本豪雨災害復旧工事が続き、球磨村の大野大橋と八代市坂本町の西部（さいぶ）大橋の間の区間は一般車両の通行ができない状態が続きました。

〈西原村＝未指定文化財〉

宮山(みややま)の八王社(はちおうしゃ)（２０１８年11月３日付）

地域共同体の維持に文化財が果たす役割

今回は、熊本地震で被災した歴史的建造物の修復にまつわるお話です。西原村の中心部から俵山に向かい、県道熊本高森線の小森の交差点で右折して阿蘇ミルク牧場方面へ上った宮山地区に八王社（宮山神社）があります。

参道の入り口を、倒壊した鳥居の石材がふさいでいました。「動かせる部材は地元の方が片付けて保管されていますが、復元には至っていません」と西原村教育委員会社会教育係の平方彩華さん。鳥居の柱がコンクリートの基礎ごと、まるでカブでも引き抜いたように倒れ、地震の衝撃の激しさが伝わってきます。

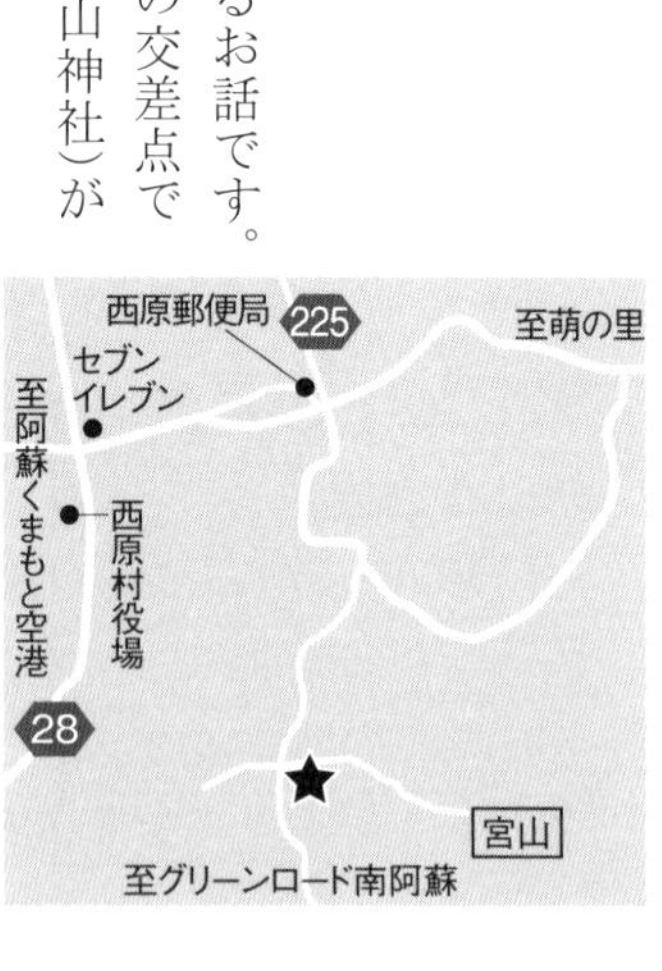

境内では拝殿が全壊し、銅板葺（ぶ）きの八王社本殿と南側の雨宮の社殿は、倒壊こそ免れたものの柱の一部は土台から抜けるなどして支柱で補強されていました。

八王社は農業の神様で、元々宮山地区の西の布田地区にありました。１７２１（享保６）年の大雨で起きた大規模な地滑りで被災し、その後現在地に移ったようです。

神様がいなくなる不安にかられた布田の住民に配慮して50年に一度、旧社に戻る遷宮祭を行うこと

被災し、支柱で補強されている八王社本殿（奥左）。手前に拝殿がありました

になったそうですが、期間が長く空くため１９８２（昭和57）年の２５０年祭の次は、２００６（平成18）年に２７５年祭が催されました。

毎年９月には境内の土俵で奉納相撲が行われ、11月23日の例大祭では氏子が拝殿で神楽を奉納するなど、地域の人々の心のよりどころとなってきました。宮山、布田の住民は修復を願っていますが、ネックは数千万円に上るとみられる修復費用です。

村などの文化財指定を受けていないため、村は地元に補助金を出せません。ただ、指定されれば村の補助金や県の文化財等復旧復興基金等で、地元負担は全体の４分の１程度で済む可能性もあり、住民が村議会に陳情を重ねました。

震災後の専門家の調査では、本殿の棟札に１７３５（享保20）年再建と建築時期が明示され、部材の意匠などと併せて当時の建築様式を伝える貴重な建物だそうです。

熊本地震では、数多くの指定・未指定の文化財が被災し、保全・修復が大きな課題となりました。被害状況を調査した日本イコモス国内委員会の報告書は、八王社を例に「未指定でもコミュニティーの核になっている歴史的建造物の保存が今回の大きなテーマ」などと指摘しています。

平方さんは、「西原村は地域コミュニティーが機能していて、震災後の避難所運営がうまくできたと評価されました。八王社が復活するよう全力を尽くします」と話してくれました。

【メモ】

宮山の八王社は、２０１９（平成31）年３月に「宮山神社」として村の有形文化財指定を受けました。復旧に向けて多くの寄付金も寄せられ、21（令和３）年５月に本殿や拝殿、雨宮などの再建工事が完了しました。

〈津奈木町＝町指定史跡〉

千代塚（ちよづか）

（2019年12月7日付）

飢饉続く村で祖父母孝行　地元に残る多くの顕彰碑

南九州西回り自動車道で八代市から水俣市方面に向かい、津奈木トンネルを抜けた辺りの大字を「千代」といいます。今回は、生まれ住んだ土地に「家族思いの孝女」として名を残した女性のお話です。

千代の話は「津奈木町誌」のほか、熊本県教育委員会が道徳教育の資料としてまとめた「くまもとの心」（小学校3・4年）にも出てきます。津奈木町教育委員会の瀧山優人さんは「小学校の授業で読んで、親や家族を大事にしなくてはと思った」ことを覚えているそうです。

千代は江戸の初めの1668（寛文8）年、当時の津奈木郷野中村の農家に、一人娘として生まれました。入り婿の父親は病弱で千代が7歳のころ実家に戻り、すぐに母親も亡くなります。残ったのは65歳の祖父と祖母、そして千代の3人。9歳の千代は祖父母を手伝い、2人が老いてからは一人で畑仕事や賃雇いの仕事に出かけて家を守ります。

祖父が手伝いを申し出ると、「ありがとうございます」と言って祖父を背負って畑に行き、木陰に座ってもらって一人で野良仕事に精を出したそうです。また、愛馬を亡くして悲しむ祖父のため、爪に火をともすようにして蓄えたお金で馬を買い、たいそう喜ばせたそうです。さらに、実家に戻った父親の窮

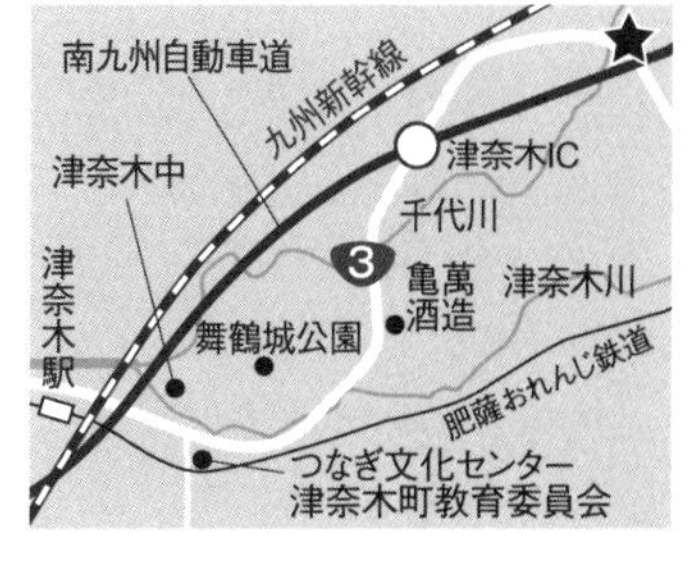

とを知ると、その面倒もみたと伝えられています。

こうした孝行に感心した藩主が、17歳になっていた千代に、褒美として毎年10俵の米を贈ることにしました。江戸の町奉行所同心の年俸が30俵2人扶持（ぶち）程度だったそうです。年10俵の米が当時の農民にとって十分過ぎるほどだったことは想像に難くありません。それを77歳で亡くなるまで受け続けました。

千代がそれほどの褒美を得た理由を考えるには、当時の状況が参考になります。千代が生まれる前、津奈木では飢饉（ききん）で人口の半数近い１１６人が餓死。千代が64歳の時には、虫害などによる大凶作のため肥後国で６１００人余りの餓死者が出ています。

褒美を受ける前、千代は人から「奉公に出て給金をもらえばここまで苦労せずにすむではないか」と勧められましたが、「自分が家を出たら、祖父母を助けてくれる人は誰もいない」と断ったそうです。みんなが生きるか死ぬかの中で、千代の奇特な行いは、驚きの目で見られたことでしょう。

千代塚に並ぶ石碑の数々

１７８６（天明６）年、徳富蘇峰の先祖で津奈木の惣庄屋だった徳富太多七が、国道3号沿いの千代塚に大きな墓を建てて以来、顕彰碑を建てる人が相次ぎました。地元でいかに敬愛されたかが分かります。明治の初めには上門、野中、川内の3村が統合して「千代村」になりました。

瀧山さんは「当時とは状況も違いますが、千代の行いは、今も輝きを放つ気がします。千代のことを身近に感じられるように伝えていきたい」と話しています。

【メモ】
千代の孝行は、藩が藩内の善行者の事績を集めた「肥後孝子伝」に正式な記録として取り上げられ、江戸幕府にも報告されたそうです。

〈小国町＝未指定文化財〉

義民七兵衛の墓（2022年8月20日付）

農民の困窮に心痛め越訴　恩恵は阿蘇郡全体に及ぶ

江戸時代の農民は毎年の年貢負担だけでなく、年貢米を藩の米蔵などまで運ぶ役務も負わされました。今回ご紹介するのは、元々阿蘇・内牧にあった米蔵が大津に移って年貢米運びが日帰りではすまなくなり、困窮する小国郷の農民を救うために命がけで藩に願い出た義民七兵衛のお話です。

江戸の初め、阿蘇郡の年貢米は、加藤清正が内牧に構えた内牧城の米蔵に集められました。現在の阿蘇中央公園の辺りです。ところが加藤氏が改易されて藩主が細川氏に替わり、１６８０（延宝8）年になると玉名の高瀬と熊本の川尻、大津に新たな米蔵が完成し、内牧の米蔵は廃止されます。

元小国町文化財保護委員長の北里光男さんは「内牧の時でも小国から波多辺原野を通って阿蘇外輪山を登り、阿蘇谷に下りるまで距離にして5里（約20㌔）。米俵を2俵ずつ背負わせた馬を引いて一日がかりでした」と言います。「米蔵が大津に移るとさらに6里も遠くなって丸二日がかり。年貢を納めるのは極寒期で、宿賃や食事代に加えて薪代も必要なため、つぶれる農家もあったようです」

その窮状に心を痛めたのが江戸中期の18世紀末ごろ、現小国町西里の岳の湯にいた七兵衛です。七兵衛は北里の浄明寺住職・見道坊に紹介してもらった下城村の庄屋武右衛門に、5里より遠方の経費

岳の湯集落近くの墓地に1920（大正9）年、地元有志が建てた七兵衛の墓。熊本県知事も務めた川路利恭が「義民七兵衛之墓」と書いています

分の米を免除してもらう「五里向（さき）駄賃米免除願」を書いてもらいます。

当時は農民が村の庄屋などを通じ、手順を踏んで文書で嘆願する「愁訴」であれば合法でしたが、七兵衛はそれを期待するのは無理と思ったのでしょうか、いきなり藩庁に出向いて極刑を免れない「越訴（おっそ）」に打って出ます。

「小国郷史」によると、七兵衛は捕らえられ、１７９６（寛政８）年７月29日、小国郷を見渡せる作助松の高台で打ち首。武右衛門は所払い、見道坊は座敷牢の刑に処せられます。その代わり嘆願は通り、小国郷ばかりか、阿蘇郡全体に一駄（２俵）につき６升４合が五里向駄賃米として免除されることになりました。

刑場の露と消えたとされる七兵衛ですが、実は「生存説」もあります。小国郷史談会長の原山光成さんは「七兵衛が首をはねられるのを見た者はいないという話もあります」とした上で、「五里向駄賃米は元々徳川家康が出したお触れで、豊後などでも知られていたと聞きます。七兵衛のことも何か事情があったのかもしれません」と教えてくれました。

県立図書館で「国史大辞典」を引くと、「五里外駄賃」として、年貢米を運ぶ際に5里以内は農民負担、それを上回る分は領主負担とする定めと出ています。初見は徳川家康が１５８９（天正17）年、三河・

遠江・駿河など5カ国総検地の際に出した「七箇条定書」で、江戸末期まで続いたそうです。諸藩の農村支配の手引書だった「地方(じかた)凡例録」にも「定法」と出ています。

七兵衛らは、これを知っていたのではないでしょうか。そうであれば、庄屋らが他国との齟齬(そご)を突く愁訴をためらってもおかしくありません。一方の藩としては、七兵衛の嘆願を握りつぶせば阿蘇の農民の怒りが蜂起につながり、藩がおとがめを受けかねないと判断したとも考えられます。

藩の動向を示す文書は見つかっていませんが、七兵衛の義挙は阿蘇の農民ばかりか、熊本藩をも救ったと言えるかもしれません。

【メモ】

岳の湯大地獄の向かいにある町の温泉施設「ゆけむり茶屋」の駐車場には、「義民七兵衛屋敷跡」の説明板が立っており、七兵衛の先祖は細川家の家臣で、後に岳の湯に移り住んだなどとする説明が書いてあります。小国町中心部から岳の湯方面に向かう国道387号右手の作助松の高台には、町が1971(昭和46)年に建てた「義民七兵衛之碑」があります。

〈南関町＝国登録有形文化財〉

旧石井家住宅主屋（きゅういしいけじゅうたくしゅおく）（2019年6月15日付）

母と通った豊前街道　詩人の素地育んだ家

南関町から国道443号で北上して福岡県に入り、すぐ左折して九州自動車道をくぐります。その先の突き当たりをもう一度左に折れてしばらく行くと、道端に古びた立派な石柱が立っています。

江戸時代、筑後（福岡）と肥後（熊本）との国境に建てられた境界石です。そこから緩やかに上っていく道が旧豊前街道。詩人、歌人で童謡作家でもあった北原白秋が、母・しけと一緒に馬車に揺られ、住んでいた福岡県の柳川から南関町にある母の実家まで何度も通った道です。

「実家の石井家の先祖は、戦国末期まで〝南関富士〟として知られる大津山に城を構えた大津山氏の重臣と伝えられています」と南関町教育委員会の遠山宏さんが教えてくれました。

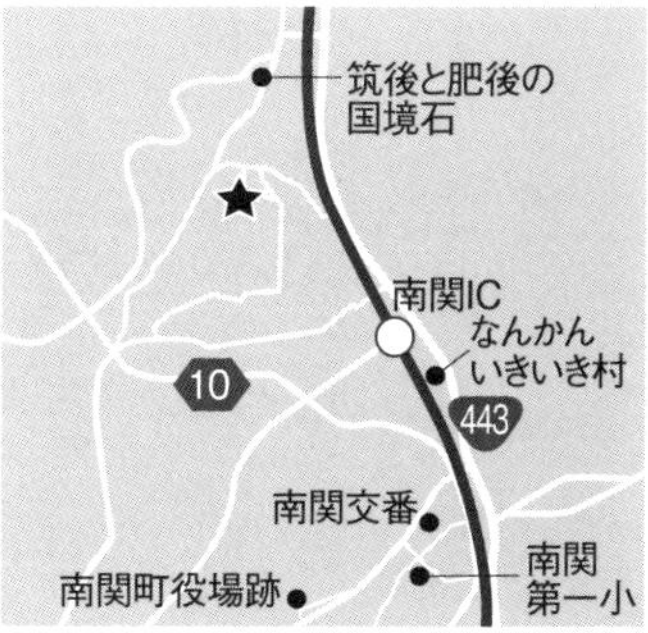

屋敷がある南関町関外目（せきほかめ）の木屋塚地区は国境の最前線。「南関町史」によると、石井家は江戸後期には「在御家人（郷士）」としてこの地を守り、明治初めには酒造業や養蚕も営んでいたそうです。しけの父、つまり白秋の祖父の業隆（なりたか）は、明治の初め、第1回熊本県会の議員に選出されています。

当時、石井家の住まいは天守造りの3階建てで「三層楼」と呼ばれていたそうです。柱が一間ごとに立つ構造などから江戸後期の建築とみられ、何度か改修されています。明治時代後期に現在の2階建てになったようです。

柳川の北原家に嫁いだしけは1885（明治18）年、実家に戻って白秋を出産しました。その後も、白秋を連れて度々里帰りし、地元では「白秋さんは小学校に入学するまではほとんど南関で暮らした」と伝わるほどです。

遠山さんは「業隆は南関一といわれた蔵書家。白秋はここで祖父母らにかわいがられながら国内外の本を読みふけり、文学の素地を身に着けたようです」と言います。

そんな育て方をしてくれた母親を白秋は深く敬愛し、主屋の玄関前に今も残る玉蘭（はくれん＝白木蓮）に託して歌を詠んでいます。

旧石井家住宅主屋。手前右は白秋が歌に詠んだ玉蘭

春霞関の外目は玉蘭の花ざかりかも母の玉名は

――――（歌集「**牡丹の木**」）

白秋は、数多くの詩や短歌のほか、母との里帰りの道をうたった「この道」や「雨ふり」「ペチカ」「待ちぼうけ」など、子どもだけでなく、大人の胸にも深く刻み込まれる童謡の名作を残しています。

石井家は、業隆や白秋のほか、画家・版画家で南関町長も務めた石井了介などの政治家や文化人を輩出しました。遠山さんは「そんな石井家の環境と南関の自然、そして何より母親の愛情が白秋を育んだことを広く知ってもらえるようにしたい」と話します。

【メモ】
旧石井家住宅主屋は２０１９（平成31）年３月に国の登録有形文化財になり、保存・整備や活用方法の検討が進められています。

〈美里町＝町指定文化財〉

馬門橋（まかどばし）（2018年7月21日付）

溶岩台地の谷が続く難所　合併前の2町つなぐ石橋

美里町は石橋の町です。国の重要文化財で日本最大級の霊台橋をはじめ、県や町の文化財に指定されているものを含めて35基の石橋（眼鑑橋）が現存しています。

その中で、美里町教育委員会社会教育課の前田晃希さんが紹介してくれたのは、道の駅美里・佐俣の湯から国道218号を東へ500㍍ほど進んだところにある「馬門橋」です。「何度も通ったが気付かなかった」という方が多いかもしれません。というのも江戸時代に架けられた馬門橋は現在の国道の下に隠れているからです。緑川支流の津留川を渡る国道橋のたもとから急な斜面を下りると、木立の中にこけむした馬門橋が見えてきます。

美里町は阿蘇の火砕流堆積物台地が中小河川に浸食された深い谷が多く、現在の宇城市と山都町を結ぶ松橋―矢部往還の中でも難所でした。

このため、地元・中山手永の惣庄屋、小山喜十郎が備前（岡山）から「勘五郎」と「茂吉」という2人の石工を呼び、馬門橋を架けました。1828（文政11）年のことです。

その8年前に宇土・松山手永から転任してきた喜十郎は松橋―矢部往還の木造橋が洪水などで度々

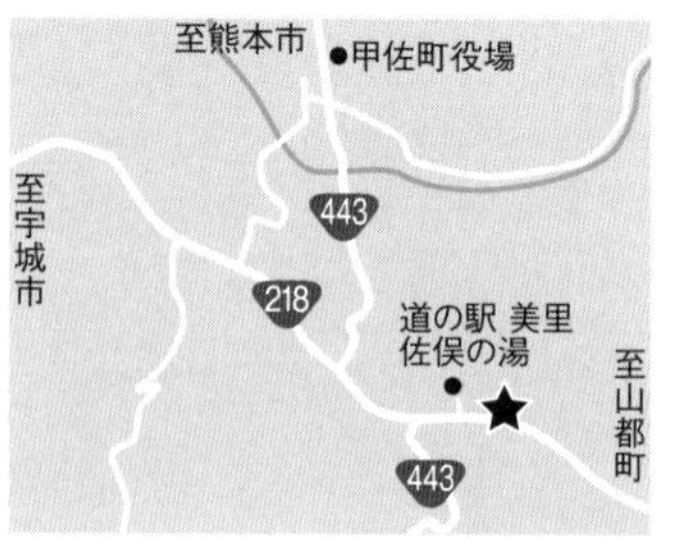

流されるため、馬門橋や今では「恋人の聖地」として知られる二俣渡（二俣橋）と二俣福良渡など7基の石橋を相次いで架け、地元の発展に貢献しました。「第6代熊本藩主の細川重賢による宝暦の改革前後で地方の権限、財源が強化され、石橋の建設費用も地元で賄えるようになっていたのだと思います」と前田さんは言います。

橋から砥用側に登る道沿いに勘五郎、茂吉の名と共に「車一切通可ら須（くるまいっさいとおすべからず）」と刻んだ石碑が立っています。これは貴重な石橋を守るためだったと思われます。

旧砥用町側から見た馬門橋。長さ27メートル、幅2・97メートル、高さ9・20メートル。橋の上部は石が平積みになっています。奥のコンクリート柱の上を国道が通ります

「それでも後年には橋に石を積み増して補強し、荷馬車を通したと思われます」と前田さん。それだけ人や物の往来が増えたということでしょう。「馬門橋は合併で美里町になる前の中央町と砥用町のちょうど境にあります。旧2町が力を合わせて発展していく象徴のような橋だと思っています」

馬門橋の東の岩尾野地区には凝灰岩の石切り場跡があります。現在は道路のかさ上げで埋もれていますが、練習台とみられる石積みアーチも残っています。

「ここで備前の勘五郎らと腕を磨いた地元の石工たちが、後の霊台橋＝1847（弘化4）年完成＝などの架橋に関わったのかもしれません」と前田さん。石橋をめぐるロマンがかきたてられます。

【メモ】

美里町はフットパスが盛ん。美里フットパス協会が、馬門橋も通る「二俣橋♡コース」など、たくさんのコースマップ（有料）を用意しています。

〈和水町＝未指定文化財〉

金栗四三生家（かなくりしそうせいか）

（2021年2月20日付）

200年以上の歴史が残る家　先祖には山鹿の惣庄屋も

2019（令和元）年のNHK大河ドラマ「いだてん～東京オリムピック噺（ばなし）」の第2回冒頭、主人公の金栗四三が生まれる前の実家の土間に、西南戦争の官軍がなだれ込んでくるシーンを覚えておられる方も多いのではないでしょうか。「あのシーンはセットではなく、本物の金栗四三生家で撮影されました」と和水町教育委員会社会教育課の益永浩仁（こうじ）さんが教えてくれました。

映像として流れたのはわずか数秒。それでも、「下見に訪れた監督さんが『土間の土壁がススで真っ黒。これはセットでは復元できない』と現地ロケにこだわったそうです」と益永さん。「大河ドラマ史上、主人公の生家での撮影はなかったろうとのことでした」

1891（明治24）年生まれの金栗四三は日本人で初めて、第5回ストックホルム五輪にマラソン選手として出場しました。四三がドラマの主人公の一人と発表されたのが2017年4月。町はその約1カ月前に金栗家から生家を買い取ることを決めたばかりでした。

「今思えば、その数年前にNHKの人が四三のことを調べに来られましたが、事前に大河の連絡が入ったわけではありません。以前から生家の保存・活用のため購入を申し入れており、話がまとまった

金栗四三の生家正面。主屋中央の玄関右隣に「学校部屋」があります

時期とちょうど重なりました」と益永さんが振り返ります。

玉名郡の旧春富村、現在の和水町中林にある生家は築２００年以上とみられ、木造一部2階建て延べ約３３０平方㍍。堂々たる屋敷です。屋根はトタンで覆ってありますが、その下は茅葺(かやぶ)きで、屋内に入るとススで黒く染まった屋根裏の茅が見えます。

金栗家は江戸時代前期から南関手永中林村の庄屋を務めた旧家で、造り酒屋も営んでいました。酒造りは土間で行い、大きな甕(かめ)が二つ埋めてあったそうです。

四三の祖父の叔父に当たる瀬助は21歳で東吉地村の庄屋になり、天明の飢饉(ききん)で困窮した人々を助ける献金の功績で「金栗」姓を許され、山鹿手永の惣庄屋兼代官に任命されています。そして山鹿市の山鹿御茶屋(現・さくら湯)の再建や津留井手の構築などを手掛けました。

四三の父・信彦はドラマで描かれたように病弱で酒造りを廃業しますが、酒造免許は地元の神田酒造(現・花の香酒造)が引き継ぎ、今に至っているそうです。長兄の実次(さねつぐ)は、四三の才を見込んで旧制玉名中(現・玉名高校)から旧制東京高等師範(現・筑波大)へと送り出し、後の五輪出場、箱根駅伝創設などにつながりました。金栗家の人々が数多くの足跡を残していることが実感できます。

大河ドラマの終了後も、町は２０２１(令和３)年3月末まで生家を記念館として開放しました。２

019年度には8万1千人が訪れたそうです。「今後は、ありのままの生家と里山の原風景を生かし、観光・教育・文化の拠点として活用しながら地域の活性化を図り、金栗四三先生の顕彰をさらに進めていきたい」と益永さんは話しています。

【メモ】

金栗四三生家は老朽化対策の工事が断続的に続いて一般公開はされていませんが、町教委に事前に申し込めば中を見学できます。申し込みの申請書は町のホームページから取り出せます。

〈宇土市＝市指定有形文化財〉

旧高月家住宅及び長屋門（きゅうたかつきけじゅうたくおよびながやもん）（2019年3月16日付）

県内最古の武家屋敷　復旧工事終え再公開

熊本県には全国に誇る熊本城がありますが、意外なことに家臣たちが住んだ武家屋敷はほとんど残っていません。「熊本城下が１８７７（明治10）年の西南戦争や１９４５（昭和20）年の大空襲、そして白川の６・26水害に見舞われたためです」と宇土市教育委員会文化課学芸員の大浪和弥さんが言います。

細川家一門の旧細川刑部邸（熊本城三の丸）は別格で、後は１８６５（慶応元）年に棟上げされた八代市の澤井家住宅、そして宇土市の旧高月家住宅があるのみ。こちらは１８３０（文政13）年の棟札が残る、藩士クラスとしては県内最古の武家屋敷です。

３万石の宇土細川家に仕えた高月家は、大分県の宇佐神宮大宮司の一門でした。「高月家文書によると、豊前中津時代の細川忠興（三斎）にお茶を出した高月家嫡男の百之丞が気に入られて、忠興の家臣になったようです」と大浪さん。千利休の高弟だった忠興の目に留まるとは、お点前がよほど見事だったのでしょう。

細川家の肥後入国で百之丞は忠興とともに八代に入り、名を五兵衛と改めます。忠興死後、いったんは豊前に戻りますが、忠興の孫に当たる細川行孝を初代藩主とする宇土藩が成立すると、五兵衛の子

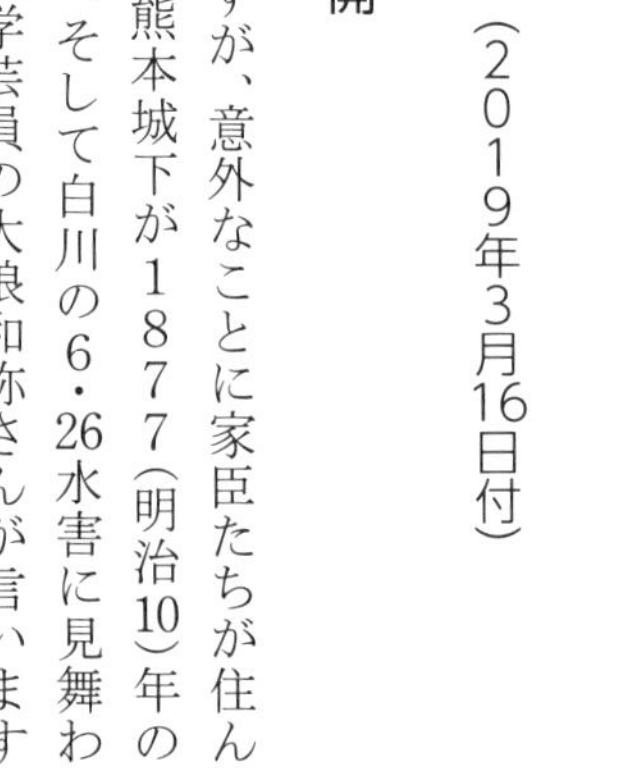

熊本地震で被災した長屋門（宇土市教育委員会提供）

修復された長屋門

の源左衛門が行孝に仕えました。知行高は50石ほどで御目付役や御側御用などを務める中級の家臣だったそうです。

屋敷は敷地約千平方メートル、建物は平屋で約１５０平方メートルです。表門は仲間（ちゅうげん）部屋や蔵が棟続きの長屋門形式。内部には国内現役最古の上水道である轟泉（ごうせん）水道の水をくみ上げる井戸があり、今も使える状態です。玄関を上がって左の長押（なげし）の上には７本掛けのやり掛けが残っています。武家屋敷だったことを実感させますが、表座敷や家族が暮らす居間から茶の間へと続く造りは、現在の和風建築と比べて違和感はありません。

建物は２０１４（平成26）年に所有者から市に寄贈されました。２年後の熊本地震で被災し、災害復旧工事を終えて２０１９年１月に主屋部分が市の文化財に追加指定されました。

大浪さんは八代市出身で、専門は近世史。「宇土藩に関係する古文書は１万点以上残されています。こうした古文書をひもとき、知られざる宇土の歴史を市民の皆さんに伝えていきたいと思います」

話を聞いていた８畳の奥座敷の畳に茶の湯の炉が切ってありました。「災害復旧工事で床板をはがすと、下から炉が出てきました」と大浪さん。高月家がお茶の縁で細川家に仕官したらしい話を思い出しました。

【メモ】

旧高月家住宅は、年末年始を除く日曜日の午前10時から午後4時まで一般公開されています。高校生以上１００円、小中学生50円。

〈天草市＝国指定重要文化財〉

祇園橋附石造記念碑（ぎおんばしつけたりせきぞうきねんひ）

（2020年11月21日付）

石造の桁橋では日本最大　数々の業績残る下浦石工

天草市の旧本渡市街地を流れる町山口川の河口近くに、石造の祇園橋が架かっています。石橋というと川の上に美しい弧を描く眼鏡橋をイメージしますが、この祇園橋は橋脚と桁(けた)でできた桁橋です。

5本9列の橋脚に1列ずつ桁受けを載せ、その上に桁石を渡してあります。橋の長さ28・6メートル、幅3・35メートル。「現存する石造の桁橋では日本一の大きさです」と天草市観光文化部文化課の宮﨑俊輔さんが教えてくれました。

橋ができたのは江戸時代後期の1832(天保3)年。それ以前にも、町山口村の生活道路として木橋があったそうですが、度々流されたようです。このため庄屋の大谷健之助が発起主になり、地元の人々が寄付を出し合って石橋を架けました。左岸側の橋のたもとに立つ石造記念碑にそのことが刻まれています。

工事は天草上島の下浦石工衆が請け負い、棟梁は石屋辰右衛門。石材は地元で採れる砂岩の「下浦石」が使われています。「下浦には海辺近くに石材加工場の跡が残っており、祇園橋の石も船で現場まで運んだようです」と宮﨑さん。

右岸から見た祇園橋。奥は橋の名前の由来とされる祇園社。最も下流側の橋脚は、すべて上流側に傾斜させてあります

取材に訪れた時はちょうど干潮で、橋脚が立つ岩盤を見ることができました。昭和に入って補強のため橋脚の基部をコンクリートで固めてありますが、架橋工事では岩盤に穴を穿(うが)ち、石の角材を立ててあるそうです。

各列に5本並ぶ橋脚の最上流の角材は、上から見て45度ひねって角の部分が水流を切るように立ててあり、最下流の角材は基部を下流側にずらして、突っかい棒のように水圧がかかる橋を支える工夫が施してあります。

さらに橋の中央部で橋脚が両岸より1㍍ほど高くなるようにして桁全体が緩い弧を描いています。これは大水でも中央部が水没しないようにして、石材の自重で倒壊を防ぐためだったようです。1760(宝暦10)年ごろに肥前から移り住んだ松室五郎左衛門が祖とされる下浦石工の経験と技量がうかがえます。

下浦石工はほかにも、宇城市の三角西港や長崎の大浦天主堂、グラバー邸、「軍艦島」として知られる端島など、世界文化遺産になった建造物群の工事にも携わりました。

下浦石はこうした建造物群にも利用されていますが、河口近くに立つ祇園橋は、海の塩分と潮の干満による乾燥・湿潤の繰り返しで表面が剥離(はくり)するなど劣化。分かっているだけで1976(昭和51)年以降、数年おきに計42本の桁石が交換され、2019(令和元)年8月には桁石1本が突然落下し、修理に向けて準備が進んでいます。

この橋は、橋脚や桁、高欄などの石材をボルトなどで固定してあるわけではなく、下から順に積み上げて築かれたものです。橋を現地で保存・管理していくために、文化財としてだけでなく国や県も含めた多数の部署が関わって検討が進められています。

【メモ】

石造記念碑には橋の名前を「石橋」と刻んであります。祇園橋の名前は橋の左岸にある祇園社に由来するそうです。

〈美里町＝未指定文化財〉

岩野用水磨崖碑文（いわのようすいまがいひぶん）

（2020年8月1日付）

「不毛之空地」潤した用水　数多く事績残した惣庄屋

美里町は、阿蘇の火砕流堆積物台地が中小河川に浸食された深い谷が多く、台地の上は古くから作物ができない「不毛之空地」と呼ばれたそうです。

江戸時代後期に入ると、農村部では悲願の水を求めて地域主導で用水が造られるようになります。当時、中山手永と呼ばれた旧中央町エリアでは、文政年間から幕末までの間に27本もの用水が造られています。

今回は、その中の岩野用水と、工事を指揮した第16代惣庄屋・矢嶋忠左衛門直明のことを、美里町教育委員会社会教育係の前田晃希さんに教えてもらいました。

岩野用水は、美里町佐俣から国道443号を釈迦院川沿いに上り、支流の白石野川が流れ込む合流点に取水口があります。そこから約4キロにわたり石原、和田、岩野、鶴木野の各地区の農地約16ヘクタールを、今も潤しながら流れています。

「矢嶋忠左衛門は現在の益城町出身で、中山手永で数多くの事績を残しました」と前田さん。益城町教育委員会に聞いてみると、忠左衛門は1794（寛政6）年に益城町杉堂の豪農の家に生まれ、父の

切り立つ大岩を割り崩して水路を通した天狗岩の現場

彌平次吉保が地元の木山川に橋を架けた功で郷士に取り立てられたそうです。

忠左衛門は在郷の役人勤めを経て、湯浦の惣庄屋を務め、１８４１(天保12)年、中山手永に転任してきました。父の薫陶で土木に明るかったのでしょうか。着任した年に岩野用水を着工させています。

工事は費用と労力を地元で賄い、藩庁へは届けだけで済む「村弁」方式だったそうです。完成は４年後の１８４５(弘化２)年。最大・最後の難所が、取水口からわずか６００メートルほど下流に切り立つ天狗岩だったようです。その岩壁に「弘化二年霜月」や砥用手永の石工「利八」「太八」の名前などが刻まれています。

前田さんは「岩壁にあった他の記述から、忠左衛門たちは肥前田代領(現・鳥栖市)の薬種屋と何か取引したとみられます。おそらく人力で歯が立たない天狗岩を高価な火薬で割ったのでしょう。手永の公金を用立てたのかもしれません」と言います。

「忠左衛門は倹約家でしたが、必要であればしっかり使う人物だったようです」と前田さん。仕事ぶりは「峻刻」と評され、別の工事では遅刻した村人を一日中土下座させたという逸話も残っていますが、地元では今も毎年、天狗岩の前にお神酒を上げて遺徳をしのぶほど慕われています。

ほかにも忠左衛門は、医師・中山至謙に天然痘を学ばせるため、公費で江戸に派遣。中山は後に熊本医学校の教壇に立ったそうで、若き北里柴三郎に西洋医学を教えたのかもしれません。また、矢嶋楫子（かじこ）ら、近代日本の女性の地位向上に尽くした矢嶋家4姉妹は忠左衛門の娘たちです。

忠左衛門は1855（安政2）年、在職のまま亡くなります。前田さんは、「幕末から明治維新にかけて残した遺産は大きいと思います。岩野用水は町のフットパスにも組み込まれており、実際に歩いて当時の苦労を知ってほしい」と話しています。

【メモ】

忠左衛門は農業インフラ整備に力を入れただけでなく、村の暮らしをよくするため、山鹿のうちわを作らせようと村人に早起きを奨励したそうですが、こちらは浸透しなかったようです。

〈津奈木町＝県指定重要文化財〉

重盤岩眼鏡橋（ちょうはんがんめがねばし）〈2021年12月18日付〉

浅いアーチで優美な石橋　薩摩が頼った石工の技術

　津奈木町中心部の国道3号北側にそびえる重盤岩の麓を流れる津奈木川に、今回ご紹介する重盤岩眼鏡橋が架かっています。「芦北地域で最も大きく、優美な姿の石橋として知られています。薩摩街道もこの橋を通っていました」と津奈木町教育委員会の瀧山優人さんが教えてくれました。

　全長18メートル、幅4・5メートル、拱矢（きょうし＝基礎からアーチ最上部の要石までの高さ）が5・7メートルで、橋面が緩く弧を描く反り橋です。石材は凝灰岩で、橋面に欄干もしつらえてあります。

　橋ができたのは江戸時代後期の1849（嘉永2）年。造った石工は野津石工の名人、岩永三五郎の弟とも伝わる三平とされます。「三平は、この眼鏡橋を含め津奈木町に9基残る石橋のほとんどを手掛けたとされます。津奈木の人々への感謝の意味があったそうです」と瀧山さん。どんな事情があったのでしょうか。

　岩永三五郎は1840（天保11）年、肥後の石工の名声を知る薩摩藩家老の調所広郷（ずしょ・ひろさと）に請われ、郡代奉行見習という待遇で石橋工事などのため三平ら大勢の石工とともに薩摩へ向かいます。それから8年ほどかけて、現在の鹿児島市内を流れる甲突川に架かる4連や5連アーチの「甲突川五石橋」など、数多くの石橋や治水工事を手掛けました。

ところが、「橋が完成したら石橋の秘密を知る石工は永送り（暗殺）される」などのうわさが流れ、三五郎は石工たちを少しずつ帰郷させたそうです。しかし、三平は国境辺りで刺客に追いつかれて深手を追い、命からがらたどり着いた津奈木で手厚く介抱されたといいます。三平は、片腕を失ったものの地元のため石橋を架け続けたそうです。

薩摩は国境の検問がとりわけ厳しかったことで知られます。ただ、後の世になって鹿児島市内に顕彰の石像が建つような三五郎ら恩人の石工たちを、石橋の秘密を理由に襲ったのかは疑問が残ります。

三平らが甲突川などの石橋工事に携わっていた時期の薩摩は、10代藩主・斉興の跡継ぎをめぐる「お由良騒動」で、斉彬派と久光派が対立していました。斉興・久光派で、藩財政の再建にらつ腕を振るった調所広郷は、その過程で関わった琉球密貿易が幕府の知るところとなり、江戸で急死しています。それが１８４８（嘉永元）年12月のこと。

津奈木川に架かる重盤岩眼鏡橋。橋の右手にある物産館グリーンゲイトと左手のつなぎ温泉四季彩とをつなぐ生活道路の一部になっています

もし、石工たちが命を狙われるようなことがあったとすれば、調所の信頼が厚かった三五郎らが、お家騒動に巻き込まれた可能性も考えられるかと思います。

ともあれ、三平が築いた重盤岩眼鏡橋を、斉興や跡を継いだ斉彬、久光らも参勤交代で渡っています。瀧山さんは「鹿児島県の資料では、薩摩の殿様がこの橋を気に入り、行列は辺りの土手にやりを立てて休憩したそうです」と言います。

橋が架けられているのは、「物産館グリーンゲイト」と「つなぎ温泉四季彩」の間。現在も多くの人が立ち寄る休憩ポイントに、優美な姿でたたずんでいます。

【メモ】

重盤岩眼鏡橋のアーチは、これ以上浅くすれば自重で崩れかねないぎりぎりのところで組んであるとのことですが、熊本地震や２０２０(令和２)年の熊本豪雨災害でも被害はありませんでした。三平らの技術力の高さがうかがえます。

〈山江村＝村指定歴史資料〉

楽隊写真（がくたいしゃしん）（2021年11月6日付）

会津まで出兵した人吉藩　薩摩の勧めで英国式軍制

幕末、そして明治維新という時代の変化は人吉球磨にも激動をもたらしました。今回ご紹介するモノクロの「楽隊写真」は、そのことを物語る一枚です。

「山江村に現存する最も古い写真と考えられ、戊辰戦争に出征した人吉藩兵が写っていることから、2021（令和3）年6月1日に村の文化財に指定されました」と山江村教育委員会の小田美和さんが教えてくれました。

透明なガラス板に感光剤を塗って撮影する湿板写真で、幕末・安政年間に日本に入ってきたばかりの技術でした。写真を収めた木箱のふたの裏には1868（慶応4）年閏（うるう）4月21日の日付と、「西洋伝方写真処　保利與兵衛（堀与兵衛）」とあります。この堀与兵衛は京都で最も早く開業した写真師の一人で、新選組局長の近藤勇や勤王の志士らの写真も撮っているそうです。

楽隊写真に写っているのは横笛や大太鼓、小太鼓などを構えた6人。頭はまげを結っていますが、服装は長ズボンとボタン留めの上着に革靴の洋装です。「写真の箱書きには、大太鼓を抱えた右から3人目の人物が菊池金英と記してあります。写真はこの菊池金英の親戚筋の家に伝わっていました」と小

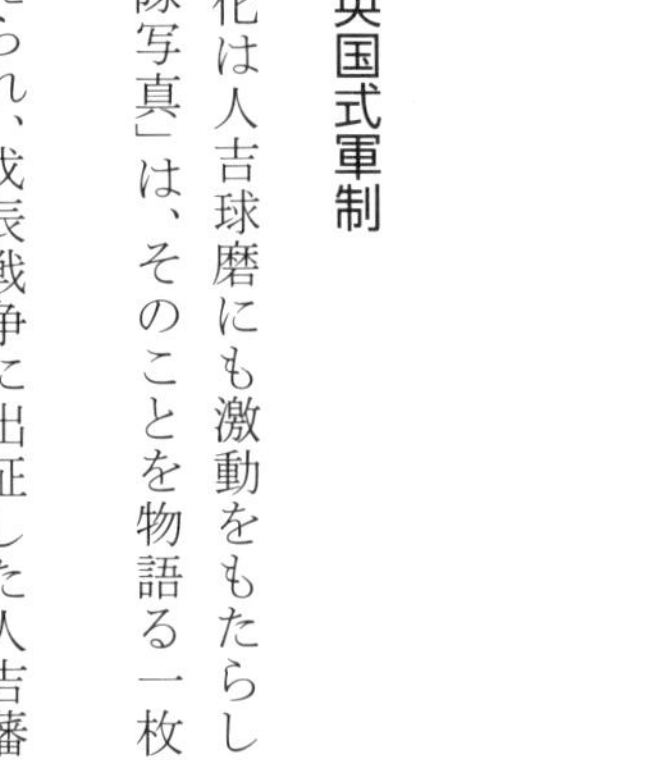

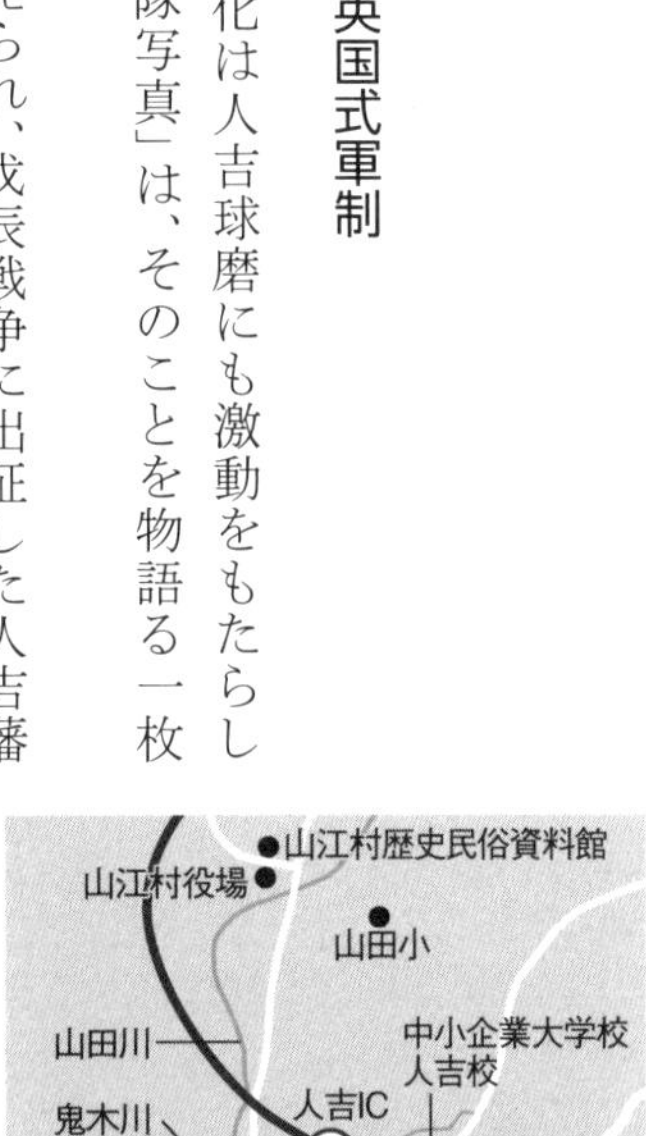

人吉藩の楽隊が写った写真。右から3人目の大太鼓を抱えた人物が菊池金英です

田さん。

戊辰戦争で混乱する幕末の京都。そこで人吉から来た楽隊が、まだ目新しい写真に収まることになった遠因には、6年前の1862(文久2)年2月に人吉で起きた「寅助火事」があります。「人吉市史」などによると、人吉城下から城内まで焼き尽くす大火で、藩は復興と消失した軍備再編のため、15千両もの借金が必要になりました。

「まず熊本藩に申し込んだものの断られ、大阪商人から1万両の借り入れができましたが、翌年になって残る5千両を工面してくれたのが薩摩の島津家でした」と山江村歴史民俗資料館長の大平和明さん。

当時は薩摩も大変でした。寅助火事の年の8月、横浜で起きた生麦事件の賠償問題がこじれて翌年7月、錦江湾に進入した英国艦隊から圧倒的な軍事力を見せつけられます。薩摩は頭を切り替えて最新の英国式軍制を導入し、人吉藩にもこれを勧めます。

人吉藩では以前から軍制改革を巡って伝統の山鹿流と西洋流の対立が続いており、山鹿流派が西洋流派の家に討ち入る「丑(うし)年騒動」の惨事を経て、英国式が採用されました。

そして慶応4年。薩摩の呼びかけもあって藩主・相良頼基が出陣・上京。4月15日、京都・聖護院村で検閲式があり、旧式の諸隊の中で人吉隊の英国式調練はひときわ目を引き、他藩に稽古を求められるほどでした。その6日後の写真は、面目を施した人吉藩の記念だったのかもしれません。

人吉隊の一部は9月には薩摩などの兵とともに会津まで進軍。まだ20代だった菊池金英は、そこで胸部に銃弾を受け、10月に横浜で亡くなります。時代は既に明治に改まっていました。

人吉の街はそれから9年後、西南戦争の戦火にも見舞われました。「人吉球磨と薩摩は中世以来、本当に因縁浅からぬ関係が続いてきたと思います」と大平さんは話します。

【メモ】

「人吉市史」によると、菊池金英は相良家の平徒士(かち)でした。戊辰戦争後、褒賞として父庄右衛門が5石の加増を受け、明治政府から玄米3俵が下賜されています。写真もその時に渡されたのかもしれません。

〈熊本市西区＝未指定文化財〉

県令安岡良亮の墓

（２０２３年1月21日付）

大久保利通の抜擢で着任　「難治県」熊本で実績残す

熊本市中央区の日銀熊本支店前から花畑町方面に向かうと、辛島町交差点の手前左側の植樹帯に「神風連史跡　県令安岡良亮旧居跡」の標柱が立っています。

１８７６（明治９）年10月24日夜、尊王攘夷を掲げ、明治政府に異を唱えて決起した旧熊本藩士族の敬神党（神風連）が、この県令（知事）邸や熊本城の熊本鎮台などを襲撃。自邸で会議中に襲われた安岡は重傷を負い、３日後に51歳で亡くなりました。政府側の死傷者約２６０人、敬神党側の戦死・自刃者約１２０人を出した神風連の乱です。

この年、３月に帯刀禁止令、６月には散髪令と士族の誇りが奪われるような政府・県の施策が相次ぎ、それを強行したことが安岡襲撃の要因ともされます。しかし、熊本大永青文庫研究センター准教授の今村直樹さんは「安岡は強権的なイメージで語られますが、その実像を見ると印象が変わります」と言います。

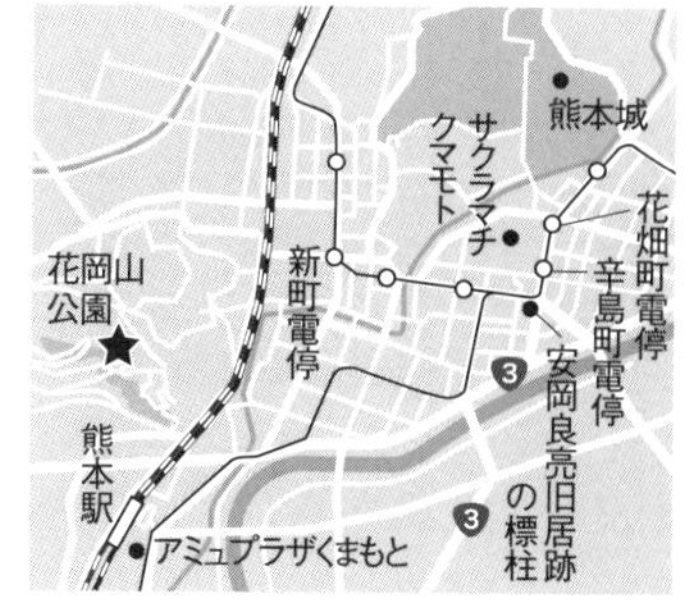

花岡山の「花崗山陸軍埋葬地」に隣接する「県官墓地」にある安岡良亮の墓。墓石手前の石の花立ては尾崎行正が1878年8月に建てたものです

安岡は、土佐中村（現・高知県四万十市）の郷士の家に生まれ、「親族には大逆事件で処刑された幸徳秋水（母親が安岡のいとこ）がいます」と今村さん。戊辰戦争では土佐迅衝隊に入り、近藤勇率いる新選組後身の甲陽鎮撫隊を甲州勝沼で撃破。維新後は群馬県参事、現三重県の度会（わたらい）県参事などを経て１８７３（明治６）年に白川（熊本）県の権令（ごんれい、副知事級）に就任、75年に県令に昇格します。

安岡を抜擢（ばってき）した明治政府の大久保利通は、「白川県の統治は困難で、あなたをおいて適任者はいない」と言って送り出したそうです。どういうことでしょうか。

「幕末以降、熊本藩は藩庁や時習館関係者の『学校党』、横井小楠の流れをくむ批判勢力の『実学党』、国学・神道でつながる『敬神党』が激しく対立しますが、細川家への畏敬の念だけは共通し、明治政府から『難治県』の一つとみられていました」と今村さん。

71年の廃藩置県で熊本知藩事の細川護久は免職。県政運営は実学党の旧藩士が担っていたものの、安岡に一掃されてしまいます。「新政府の地方平準化策とはいえ、よそ者が細川家を差し置いて県のトップに就き、熊本を破壊したと思う者も多かったでしょう」と今村さんは言います。

一方で安岡は、反感を募らせる士族を県の役人に採用したり、神風連の乱を率いることになる太田黒伴雄ら敬神党の面々を県内主要神社の神官に取り立てたりして融和を図っています。

また、自身と同じ郷士出身の宮崎八郎ら民権党からの提案を受け、76年7月には県議会に当たる熊本県臨時民会を開設。その議員選挙は25～65歳の全男性に選挙権・被選挙権を与えるなど、驚くほど先進的なものでした。ただ、民会開催は1回限りで、見せかけにすぎなかったとの批判もあります。

ところが、今村さんが熊本大大学院時代に調べた小国町の古文書に、安岡が「今年の選挙は趣旨が十分に理解されていなかったので、来年改選するから準備するように」と伝える文書が残っていたそうです。日付は76年10月10日。敬神党決起の2週間前でした。今村さんは、「安岡が連れてきた部下の中には、後に『憲政の神様』と呼ばれた尾崎行雄の父・行正や岩倉使節団に同行して欧米視察した近藤幸止(さちもと)などがいて、そうした人材の提言も治政に生かしたと思われます」と言います。

そして、「明治維新は地方分権的な連邦制国家(幕藩体制)から、中央集権的国家への移行をもたらし、大きな混乱が生じました。そうした中で安岡は、わずか3年の間に民会を開くほか財政改革でも大きな実績を残しており、再評価が必要だと思います」と話しています。

【メモ】

1874年の佐賀の乱では、熊本士族が細川護久の世子・護成を擁して合流を図るのではないかと警戒した熊本鎮台兵の一部が、護成を熊本城に移そうとして一触即発に至ります。安岡と同じ土佐出身の鎮台司令官・谷干城は籠城を覚悟しますが、対照的に安岡が士族との融和に努めたため、その時は県と鎮台の間でも対立が生じたそうです。

〈熊本市中央区＝国指定特別史跡〉

熊本城跡（くまもとじょうあと）

(2022年9月17日付)

西南戦争で天守など炎上　自焼説有力ながら残る謎

熊本城は、西南戦争で薩摩軍による総攻撃が始まる直前の1877(明治10)年2月19日午前11時ごろ、突如炎上して大小天守や当時、熊本鎮台本営が置かれていた本丸御殿などが焼失しました。

「火災原因については、薩摩軍やそれに呼応する熊本士族らによる『放火説』、籠城を決めた熊本鎮台軍による『自焼説』、炊事場などからの『失火説』といった見方があり、長く議論されてきました」と熊本市文化財課植木分室の美濃口雅朗さんが言います。

美濃口さんは本丸御殿の復元工事に先立って行われた発掘調査の出土品を分析し、2017(平成29)年にあった西南戦争140年記念シンポジウムではパネリストとして、火災の状況を考古学的観点から報告しています。「茶わんなどの陶磁器や窓ガラス、文房具などが数多く出土し、調理器具などはあまりありませんでした。全体に火災の高温で焼けただれたり、ゆがんだりした被熱資料が多かったのが特徴です」と美濃口さん。

特に被熱資料の割合が高く、焼け方が激しいものが多かったのが、御殿南端の石垣上にあった小広間辺り。「二様の石垣」の角には小広間西側の三階櫓(やぐら)がありました。出土品の被熱状況などか

ら、美濃口さんは「この辺りが御殿の火元」とみているそうです。

「ここでは、公印の『熊本鎮台本営之印』のほか、上級士官が所持する剣の鞘（さや）金具や米国製ピストルなどが出土しており、すずりやインク瓶といった文房具の割合も高かったことから考えて、谷干城ら幹部の執務室と思われます」

背後は切り立つ石垣。放火であれば、犯人は日中の御殿を通るしかなく、すぐ見とがめられたはずです。炊事場なども近くになかったことから、美濃口さんは「自焼説」が有力と考えるそうです。これは谷ら一部幹部で計画し、放火の実行は参謀の児玉源太郎であったという富田紘一さんの研究成果とも合致します。

谷はこの10年前の会津戦争で、若松城の天守が砲撃を浴びて落城する様を見ています。この時、谷は「高くそびえる櫓は砲撃の目標になるだけ」と実感したとみられるそうです。

南東から見た熊本城本丸（資料写真）。手前の本丸御殿南側に続く石垣の上に小広間がありました

谷は熊本城での籠城に備えて要所に大砲を配置。さらに敵が身を隠す場所をなくすため、熊本城炎上と同じ19日に射程内の市街地を焼き払っています。「前年の『神風連の変』のショックから意気消沈していた庶民出身の鎮台兵を、城を焼くことであえて死地に追い込み、士気を高めようとしたという説もあります」と美濃口さん。

火災では天守など城内数カ所から同時に火の手が上がったという話もあるそうです。また、自焼説

に対して「兵糧米は大天守内に備蓄してあった。籠城軍がそれを焼くようなまねをするはずがない」との見方もあります。ただ、大天守の場所は昭和の再建で大規模に掘り返され、今となっては大量の炭化米があったかどうかなども分からず、依然として謎が残ります。

籠城は52日間。もし名城の誉れ高い熊本城が落城すれば、様子見だった全国の不平士族が雪崩を打って薩摩軍に呼応し、戦いは全国に波及していたかもしれません。

そう考えれば決死の「焦土作戦」も作戦としては見事でした。しかし、現存していたら国宝級だったはずの天守や御殿が焼け、それ以上に市街地まで焼き払い、さらに数多くの人命を犠牲にした戦争という行為のあきれるような浪費とむごさを思わずにはいられません。

【メモ】

陸軍には軍の財産でもあった熊本城焼失の正式報告が残っていないそうです。熊本城には明治天皇が1872（明治5）年の熊本行幸で訪れ、大天守に登っています。「天皇を深く尊敬する谷は明治天皇ゆかりの場所になった大天守を焼いたと言えなかったのではないか」との見方もあるそうです。

〈玉東町＝国指定史跡〉

二俣瓜生田砲台跡（ふたまたうりゅうだほうだいあと）

（2020年8月15日付）

西南戦争で最大の激戦地　物資弾薬消耗した西郷軍

西南戦争最大の激戦とされる田原坂の戦いは、熊本城に籠城した政府軍支援のため福岡に上陸して南下を急ぐ政府軍の援軍と、これを阻止するため田原坂に布陣した西郷軍との激突でした。

1877（明治10）年3月4日から20日までの間に、両軍合わせて4千人近い死傷者が出たともいわれる戦闘で、戦局を動かす役割を果たしたのが政府軍の砲兵隊です。田原坂台地の下を通る県道熊本田原坂線（鈴麦線）の東側に、「田」「原」「坂」と一枚ずつ大書した看板が立つ高台があります。ちょうどその辺りの頭上を、約1キロ西側の二俣台地との間で大量の砲弾や銃弾が飛び交いました。

2月下旬の玉名・高瀬の戦いで政府軍を破れなかった西郷軍は戦線を下げ、大量の物資や大砲を運ぶ政府軍が通らざるを得ない三池往還の田原坂に幾重もの陣を築きます。

尾根筋を蛇行して上る坂道は両側の畑より低く切り通してあり、通る者は前後左右から狙い撃ちされる要害でした。玉東町教育委員会社会教育課の宮本千恵子さんによると、加藤清正が熊本城の北の守りを固めるため造った道との伝承もあるそうです。

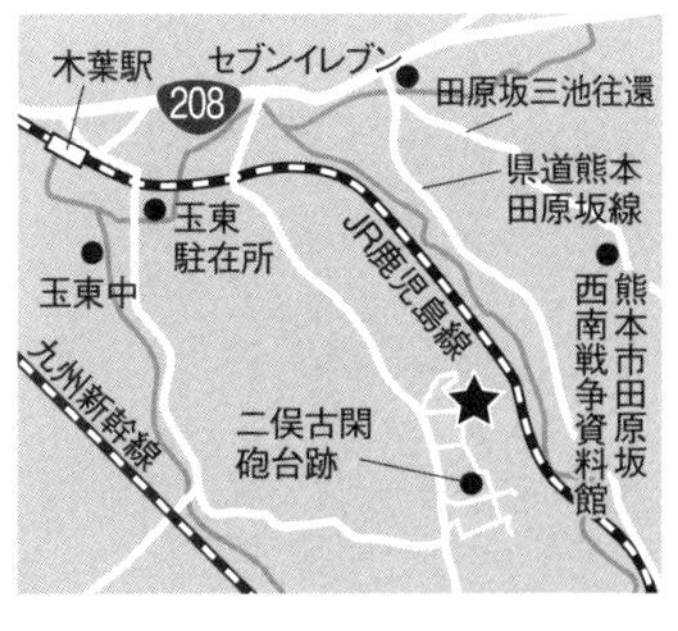

二俣瓜生田砲台跡から見る田原坂台地。正面の建物が熊本市田原坂西南戦争資料館。斜面の至る所に西郷軍の塹壕（ざんごう）や陣地があったそうです

上木葉に本営を置いた政府軍は正面などから第一次、第二次と猛攻を掛けますが失敗。斜面が急な側面からの攻撃も利用します。同時に標高約90㍍の二俣台地に本営の出張所と瓜生田、古閑など3カ所の砲台を構え、砲兵隊が田原坂に砲撃を浴びせました。

両軍とも使ったのはフランスが開発した四斤山砲です。先込め式で射程2千㍍以上、重さ4㌔（四斤）の砲弾を発射しました。日本へは幕末に入ってきています。

玉東町が２００９（平成21）年度から取り組んだ西南戦争遺跡の発掘調査で、瓜生田砲台跡からは四斤山砲の台車のものとみられる轍（わだち）や大砲の点火に使う摩擦管などが出土しています。政府軍は瓜生田や古閑の砲台から正面の田原坂の西郷軍陣地や中久保にあったとされる砲台などを砲撃したとみられます。

田原坂では砲弾の破片が大量に出土する一方、瓜生田砲台跡からは数多くの金くぎなどが出たそうです。「地元の古老や専門家の話では砲弾が尽きた西郷軍が殺傷力を高めるくぎなどをブリキ缶に詰め、山砲に込めて撃っていたのではないかということです」と宮本さんが言います。西郷軍の使った銃には最新式のスナイドル銃も含まれるなど装備は互角だったとされますが、17昼夜に及ぶ戦闘で西郷軍の物資弾薬は消耗していったのかもしれません。

警視庁抜刀隊の奮戦などもあって西郷軍は田原坂から撤退。熊本城の包囲を解き、保田窪、健軍など

での「城東会戦」にも1日で敗退し、矢部や人吉などへ向かいます。

宮本さんは「田原坂の戦いの結果で、自らが生き残るため様子を見ていた士族たちが西郷軍から離れていき、西南戦争の帰趨(きすう)が決したと言えると思います」と話しています。

【メモ】

四斤山砲は砲身、台座ともに重さ約100キロ。分解して2頭の馬に背負わせ、朝から砲台に向かい夕方にはまた分解して営舎に戻ったそうです。馬も大変だったことでしょう。砲台跡で馬の蹄鉄(ていてつ)も出土しています。

〈熊本市中央区＝国指定名勝及び史跡〉

水前寺成趣園（すいぜんじじょうじゅえん）

（２０１９年７月20日付）

西南戦争で最前線に　「富士」の上に砲台跡

２０１６（平成28）年４月の熊本地震で、水前寺成趣園の池が一時干上がったことはご記憶の方も多いと思いますが、園内ではほかにも被害が出ました。

その一つが、古今伝授の間の辺りから池越しに見える富士を模した高さ８・５メートルの築山の頂上が、60センチほど陥没したことです。地震前と比べ平坦な形になってしまいました。

熊本市文化振興課の松永直輝さんは「築山は１８７７（明治10）年の西南戦争の際に頂上を削って砲台を築いたことが分かっており、西南戦争後の盛り土の締め方が弱く、地震で陥没したと考えられます」と言います。

同年３月の田原坂の戦い後、薩摩軍は熊本城の囲みを解いて大津から保田窪、健軍、御船にかけて戦線を構え、決戦に臨みます。いわゆる「城東会戦」です。その動きを察知した政府軍は４月19日に、当時の「砂取村」に大砲と工兵第六小隊を送り、各所に急造の砲台などを作らせています。その中の一つが成趣園の築山と考えられます。

薩摩軍は成趣園から東南東へ約１９００メートルの健軍神社周辺に陣を構えていました。当時の主力兵器

南側から見た富士の築山。140年余りの年月を隔てて、元の姿に戻りました

である、重さ４キロの砲弾を発射する四斤山砲の射程は、明治15年発行の「砲兵學講本」によると２千メートル以上とされ、健軍の薩摩軍まで十分届く距離です。発射の反動で転げ落ちないようにするためか、砲台の縁には30センチほどの段が設けられています。

「今は県庁などのビル群や生い茂った樹木で見通しがききませんが、当時はさえぎるものがなく、築山は砲台に絶好の構造物だったといえます」と松永さん。逆に成趣園も薩摩軍から格好の標的となったことでしょう。現在は古今伝授の間がある場所に第３代熊本藩主・細川綱利が建てた「酔月亭」も、西南戦争の最中に焼け落ちています。

城東会戦は薩摩軍が健軍・保田窪方面で優勢でしたが、御船方面を政府軍の別動隊に崩され、わずか１日で決着しました。もし戦いが長引いていれば、成趣園の面影は今と違っていたかもしれません。

熊本地震後、築山南側の麓では一部芝がなくなっていました。実は地震前に実施された東海大農学部の研究グループによるＤＮＡ調査で、築山の頂上部分と麓とでは芝の種類が異なることが分かっていました。麓の芝は、綱利公が取り寄せたと伝わる阿蘇市波野地区のものに近く、頂上付近は高麗芝だったそうです。

「西南戦争以降の復旧や整備で高麗芝を使ったのでしょう。その前の姿に戻すため、修復に際しては麓の芝を頂上に張りました」と松永さん。築山の復旧工事は２０１９年３月に完了。成趣園の富士山は、

１４０年余りの時を隔てて元の姿を取り戻しました。

【メモ】

成趣園の正門近くに奈良・平安時代の寺院とみられる「水前寺廃寺跡」の礎石があります。成趣園内でも古代の土器片などが数多く見つかるそうです。

〈産山村＝国登録有形文化財〉

足達家住宅主屋（あだちけじゅうたくおもや）　（2021年5月15日付）

豊後街道沿いに残る屋敷　幕末まで細川家の御船頭

産山村役場前から、別府湾に流れ込む大野川支流の玉来川沿いに大分県境へ向かい、県道216号の「大利（おおり）」バス停前で右に入る細道が旧豊後街道です。

街道をしばらく進むと、左側の石垣の上に長い板塀と門を構えた屋敷が見えてきます。主屋に1891（明治24）年4月の上棟札が残る足達家の住居で2021（令和3）年3月、国の登録有形文化財に決まりました。

「足達家は江戸時代末まで、豊後鶴崎（現・大分市）で熊本藩の藩主が参勤交代の際に乗る波奈之丸（なみなしまる）など、100隻ほどの船団を率いた船頭（ふながしら）の家です」と産山村教育委員会の嶋本圭真さんが教えてくれました。どうして、船頭の家系の屋敷が山深い産山村にあるのでしょうか。

今も屋敷に暮らす足達久徳さんとキヌさん夫妻に話を聞くことができました。「先祖は初め加藤清正公に船頭として仕え、そのまま細川家で『御船頭』として仕えたようです。清正公は熱心な日蓮宗の信者で鶴崎に法心寺を建てており、わが家も日蓮宗です」と久徳さんが言います。

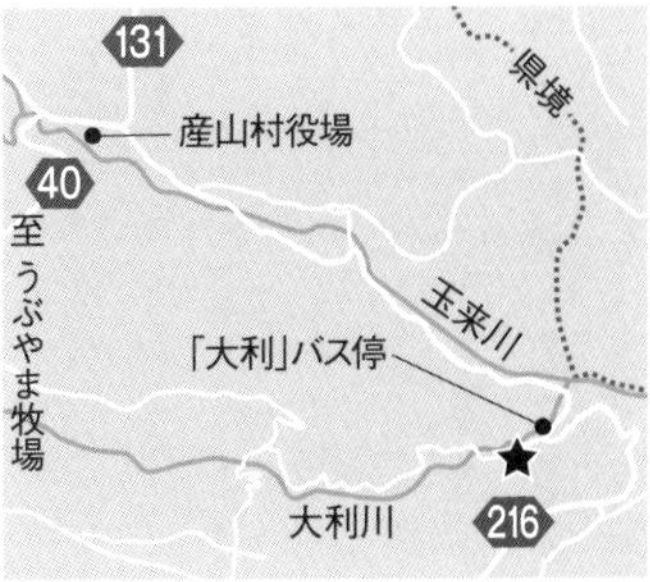

清正は関ケ原の戦い後、鶴崎にも飛び領を得て関西や江戸への最短ルートとして港や豊後街道整備

産山村役場
県境
玉来川
「大利」バス停
大利川
至うぶやま牧場

主屋中央の玄関。反り曲がった唐破風屋根の下に一段低い板張りの式台がしつらえられています

に力を入れます。大坂城の豊臣秀頼のことが念頭にあったのかもしれません。優秀な船乗りや船大工も集めたことでしょう。加藤家改易後は細川家が引き継ぎ、江戸時代には鶴崎の港に造船や整備の作事所が置かれて数多くの船が停泊したそうです。

江戸末期になると、幕府の弱体化で国内が騒然となる中、1年おきだった参勤交代も3年に一度でよいことになり、熊本藩は1866（慶応2）年に鶴崎と日田警衛の兵を撤退させています。「そのころまで船頭だった足達小五郎も大利に土地をあてがわれ、『三木屋』という造り酒屋を営むなどしたようです」と久徳さん。小五郎の墓に「船頭」と刻まれているそうです。

小五郎の2代後の猪七郎は産山村の初代収入役、助役から第4代、5代村長を務めました。次の当主の新という女性がこの屋敷を建てています。「細川家は船大工を宮大工に育て、この家もその鶴崎大工が来て建ててくれたそうです」。そう語るキヌさんは料理が得意で、「主屋をきちんとしておく」目的もあって山菜や川魚などの食事どころを開いていたこともあります。

主屋は一部2階建て延べ約283平方㍍。神社仏閣に見られる玄関の唐破風（からはふ）や書院付きの座敷と仏間の欄間などには精緻な彫刻が施されています。玄関の間の奥には江戸時代の漆塗りの駕籠（かご）が飾られていました。家紋や北斗七星をあしらった陣笠や裃（かみしも）なども代々伝わるそうです。

住居部分などは増改築されたりしていますが、主屋は床下の根太を換えたくらいでがっしりとしています。「若いころはこの家をどうするかなど考えたこともありませんでした。文化財として残せるのであればありがたいこと」と久徳さん。嶋本さんも「こんな歴史的価値のある建物が残っていたのは村の誇り。後世にどう伝え、生かしていくか考えたい」と話します。

【メモ】
足達家住宅主屋は２０１６（平成28）年の熊本地震で雨漏りが起きたり、外壁のしっくいが一部落ちたりする被害が出ましたが、「熊本地震被災文化財等復旧復興基金」を活用し、歴史的価値を損なわない工法で修復されました。

〈小国町＝国登録有形文化財〉

旧国鉄宮原線幸野川橋梁（きゅうこくてつみやのはるせんこうのがわきょうりょう）（2019年12月21日付）

「竹筋」の可能性が高い橋梁　時代に翻弄された鉄道路線

皆さんは「鉄筋」ならぬ「竹筋コンクリート」というものをご存じでしょうか。文字通り、コンクリートの強度を高める鉄筋の代わりに、竹を使ったものです。第2次大戦前、軍需優先で不足する鉄材を補うために研究が進み、実際の建造物にも使われたそうです。

小国町教育委員会社会教育係の高口真徳さんが、「1939（昭和14）年に完成した旧国鉄宮原線の幸野川橋梁もその一つとみられています」と紹介してくれました。

熊本県教委がまとめた「熊本県の近代化遺産」の報告書などによると、宮原線は大分県九重町の久大線恵良駅から分岐して小国町を通り、さらに菊池市まで延びて熊本電鉄に接続。熊本市までを結ぶ鉄道として、大正時代に計画されました。

1935年に着工し、37年6月に恵良駅から同じ久住町の宝泉寺駅まで7・3キロの区間が開業します。しかし、皮肉にもその翌月に盧溝橋事件が起き、日本は日中戦争に突入。小国町では幸野川橋梁をはじめ8基のコンクリート製アーチ橋が完成しますが、宮原線の工事は中断します。

さらに、物資不足が深刻化した43年には、長崎県の炭鉱から石炭を運ぶ路線に使うため、営業中の恵

縦木川と県道北里宮原線の上を通る旧国鉄宮原線幸野川橋梁

良～宝泉寺間のレールまではがして持っていかれたそうです。

「宮原線の工事は戦後再開し、1954年に肥後小国駅までの26・6㌔が開業しました。しかし、そのころは既に陸上交通の主役が鉄道から自動車に移り、1984年には赤字路線として廃止されました」と高口さんが言います。まさに、時代に翻弄（ほんろう）された鉄道路線でした。

幸野川橋梁は、建設当時の工事現場を通った地元民の「割り竹を30㌢ほどの間隔で網状に組んでいたのを見た」といった証言などはあるものの、戦時下ということもあって竹筋と断定できる記録などは見つかっていません。

ただ、2007（平成19）年に大学の研究者らが橋のコンクリートをくりぬいて調べたところ、割り竹の断面のようなものが見つかり、竹筋の可能性が高まったそうです。「国内で竹筋コンクリートとはっきりしているのは、岩手県の道路橋と鹿児島県にある旧陸軍トーチカの2カ所だけ。確認されれば本当に貴重な文化財になります」と高口さん。

幸野川橋梁は、アーチ上の側壁に小アーチの穴が開いています。高口さんは「重量を減らすだけでなく、デザイン上の狙いもあったとみられています。軍事最優先の状況下でも、土木技師の意地のようなものがあったのではないでしょうか」とした上で、「小国町のコンクリート橋梁群は建設から80年。これをどう残していくかが課題です」と話しています。

【メモ】

幸野川橋梁は橋長１１２メートルで径間20メートルのアーチが４連、10メートルのアーチが両端に２連あります。小国町には現在、ほかに６基の旧宮原線アーチ橋が残っています。

〈錦町＝未指定文化財〉

松根油乾留作業所跡（2022年2月5日付）

松の木から代替航空燃料　予科練生らも作業に従事

皆さんは松根油をご存じでしょうか。松の木から採れる油で、一般には油絵具を薄めたり絵筆を洗ったりするテレビン油が知られています。太平洋戦争末期、燃料不足に苦しむ旧日本軍は、この松根油で飛行機を飛ばそうとしました。

今回、錦町企画観光課の手柴智晴さんに、同町の知敷原（ちしきばる）台地にあった人吉海軍航空基地でも行われていた松根油作りの跡を紹介してもらいました。

松根油は、松の根株を掘り起こして小割りし、大きなドラム缶のような鉄釜で蒸し焼き（乾留）して出てくる揮発成分を冷却・精製して作ります。元々民生用でしたが、原油の輸送ルートを断たれて戦闘機などの燃料不足に陥った日本は、１９４４（昭和19）年10月の最高戦争指導会議で代替燃料として松根油の大増産方針を決めます。

「『２００の松の根で飛行機を1時間飛ばせる』というスローガンの下、全国各地で老若男女が総動員されました」と手柴さん。44年2月開設のこの基地でも軍が用意した百貫釜を炉に据え付け、予科練生らが根株の掘り起こしや小割りなどの作業に従事したそうです。

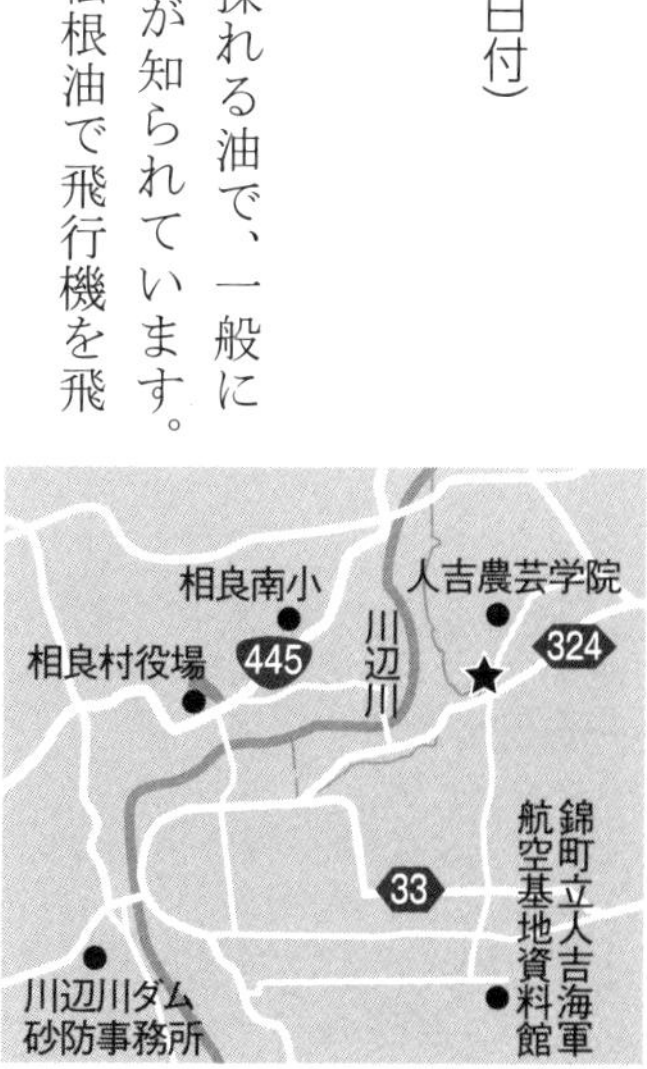

発掘された松根油乾留作業所跡。1区画に2基ずつ、百貫釜の炉がありました(錦町提供)

基地の滑走路跡から北へ2キロ近く。川辺川の水を引き、杉木立の中を流れる「飛行場用水」のほとりに、松根油乾留作業所の跡が残っています。自前で航空基地跡を調べてきた郷土史家らで作る「人吉海軍航空隊を顕彰する有志の会」の調査に基づき、2021(令和3)年8月から10月にかけて実施された発掘で、5区画・10基の百貫釜用の炉跡が確認されました。

炉はれんがや石で組み、揮発成分の冷却装置は竹筒に用水路の水を引くなど万事手作り。それでも、調査を担当した手柴さんは「工場と呼べるような作業所は、全国でもほかには確認されていません」と言います。

ここでどれくらいの松根油が生産されたかはっきりしませんが、「人吉球磨では現在、松の木はあまり見ることができません」と手柴さん。しかし、それほどの労力や犠牲を払って生産した松根油が、実戦に使われることはありませんでした。

手柴さんは「松根油の成分はガソリンより灯油やジェット燃料に近く、ピストンを動かすレシプロエンジンには不向きでした」と言います。そこで旧海軍は、松根油で飛べるジェットエンジンまで開発しました。

ある研究者の報告では44年半ばに製造が始まり、翌年、そのエンジンと松根油を混ぜた燃料を積んだ国産初のジェット機「橘花（きっか）」が、千葉県の木更津で12分間の試験飛行に成功したそうです。それが8月7日。前日には広島に原爆が落ち、橘花は実戦に出ることなく終戦を迎えます。それまでに全国で36万キロリットルの松根油が作られ、500キロリットルの航空機用揮発油が生産されたようです（石田憲治「日本初のジェット機『橘花』と松根油」）。

手柴さんは「当時はみんな、国を残したいと必死だったと思います。後の時代から見てあきれたりする前に、実際に何が起きていたのか知ってほしい。そのために基地やこの作業所跡が文化財に指定されるようにしたい」と話しています。

【メモ】

資料館に展示してある百貫釜は直径約1メートル、高さ約1・5メートル。歴史資料などとして各地に残っているそうですが、山形市の曹洞宗法来寺のように戦争で供出した釣り鐘の代わりに、鐘楼に下げて使った寺院もあります。

無形民俗文化財

〈荒尾市〉

野原八幡宮風流（のばらはちまんぐうふうりゅう）

節頭行事（せっとうぎょうじ）

〈国選択無形民俗文化財〉

〈市指定無形民俗文化財〉

（2018年9月15日付）

荘園制度の変容　今に伝える芸能

現在の荒尾市と長洲町を合わせた「荒尾郷」の郷社だった野原八幡宮。毎年10月15日の秋季大祭には二つの呼び物があります。

一つは、狩衣（かりぎぬ）に、獅子頭に見立てた笠をかぶった2人の稚児が大人の笛に合わせて舞いながら太鼓を打つ「風流」。もう一つは、稚児（節頭）を乗せた神馬をひく仲間（ちゅうげん）たちが、奉納歌と踊りを披露しながら練り歩く「節頭行事」です。

不思議なことに、同じ祭りの芸能ながら神社に近い野原、菰屋、川登の3地区が受け継ぐ風流は中世の都風の趣。それ以外の長洲町を含めた28地区が交代で3地区ずつ行列を出す習わしの節頭行事には、

大人の笛に合わせて舞いながら太鼓を打つ「風流」の稚児ら(2014年10月)

武家風の要素が加わります。

その違いの由来は荒尾郷が「野原荘」と呼ばれ、石清水八幡宮(京都)の荘園だった鎌倉時代にさかのぼります。

当時は、荘園領主の貴族や寺社に対して地頭など武士側が力を付け、全国で土地争いが相次ぐようになっていました。野原荘でも、現在の埼玉県からやって来た小代氏と領主との間で争いが起きます。

荒尾市教育委員会生涯学習課学芸員の福田拓也さんは「野原八幡宮の『祭事簿』に、1262(弘長2)年に荘園の東半分を宮方(領主側)、西半分を国方(地頭側)に分ける下地中分(したじちゅうぶん)が成立し、以後、八幡宮の神事や祭礼を宮方と国方で分かれて行うようになったことが書かれています」と話します。

小代氏は戦国時代まで野原荘を治めました。その間に根付いた八幡宮の祭礼は、風流が魔よけの芸能、節頭が豊作祈願と感謝の芸能として地域の人々によって770年近く続き、野原荘の歴史を今も伝えています。

福田さんは「近年、風流と九州北部の同じような芸能との関係や変遷に関心が集まっています」と話します。

熊日連載の「わたしを語る　民俗は庶民の心」で安田宗生・熊本大名誉教授が、風流の稚児のみやびな動きについて「いにしえの都の貴族が見れば『ああ、けなげ』と言って涙を流すであろう」と書いておられます。
風流と節頭行事の起源や広がりに関する今後の調査に、期待がふくらみます。

【メモ】
野原八幡宮の風流は、その後２０２１（令和３）年に国の重要無形民俗文化財に指定され、22年には国内24都府県41件の民俗芸能「風流踊（ふりゅうおどり）」の一つとして、ユネスコの無形文化遺産に登録されました。

〈大津町＝町指定無形民俗文化財〉

窪田阿蘇神社御神幸祭（くぼたあそじんじゃごしんこうさい）

（２０２２年11月19日付）

10年に一度の神の道行き　水でつながる住民の知恵

熊本空港から北に出て大津町方面に向かい、白川を渡った先の交差点を右折して進むと陣内地区。右手を流れる塘（とも）井手は白川北岸を潤す下井手の分水で、やがてこんもりとした窪田阿蘇神社の森が見えてきます。今回ご紹介する御神幸祭の開催は何と10年おき。なぜこんなに間が空くのか、大津町教育委員会学芸員の飯富英博さんに教えてもらいました。

窪田阿蘇神社は元々、現在地から直線距離で１・３㌔ほど東にあった大宮神社が古宮だそうです。主祭神は大宮姫神で１２０１（建仁元）年の創建とされ、室町時代後期の文明年間（１４６９～１４８７）に御旅所だった現在地に移り、阿蘇神社12神が合祀されたと伝わります。以来、10年ごとに続いてきたとされる神幸行列の時季は３月で、窪田阿蘇神社から古宮に向かいます。祭礼を営むのは下井手水系沿いの上陣内、中陣内、下陣内、上町の４地区です。

飯富さんは「阿蘇の神々は、カルデラの湿地を農地に変えた治水の神様。神社が移ったのは、水の神を頂く勢力がこの辺りまで進出してきたことを示し、10年に一度という周期は、干支（えと）とのつながりをうかがわせます」と言います。

2013年の神幸行列。大津中のブラスバンドを先頭に大名行列、駕籠、みこし、稚児行列、道中踊りなどが続きました。写真の奴道中などは幕末以降、肥後細川藩の参勤交代を翻案・再現した出し物が加わったそうです（資料写真）

記録では、御神幸祭は１８６２（文久2、壬戌）年、１８７２（明治5、壬申）年、１９２２（大正11、壬戌）年、１９３２（昭和7、壬申）年など、十干十二支の壬（みずのえ）の年、西暦でいえば下1桁が2の年に行われています。「壬は十干の9番目の『水の兄』。水との関わりが深く、子どもをみごもるという意味もあります」と飯冨さん。こうしたことから「この祭礼は、阿蘇の水神が水の運気が増す年に治水力回復のため水辺の妻の実家に行く春先の道行きを表すのではないか」と考えられるそうです。

ちなみに戦中・戦後はみこしのみでしたが、１９７２（昭和47）年に復活。また、諸事情から２００３（平成15）年以降は1年ずつ遅れて開催されています。

世界かんがい施設遺産にも登録された上井手や下井手が整備されたのは加藤清正以降ですが、下井手は奈良時代に熊本市の味生池（あじうのいけ）を造ったとされる道君首名（みちのきみのおびとな）の開削とも伝わるそうです。

大津の土地は水不足に悩まされたというイメージがありますが、白川は暴れ川でたびたび氾濫したようです。合志氏や阿蘇氏などが入り乱れた中世には下井手も荒廃しており、飯冨さんは「清正は、まず洪水時に下井手が白川への放水路にもなるように整備してから上井手開削にかかっています」と言います。

水は農民にとって死活問題。用水の維持・管理は、上流から下流まで人々が心を合わせないとできません。飯富さんは「10年に一度、水の運気が高まる年の春3月に下井手水系の4地区が力を合わせて準備し、その間に生まれた子どもを稚児行列で神に紹介する御神幸祭は、水に感謝して地域の維持・繁栄を願う住民の知恵でもあったと思います」と話しています。

【メモ】

大津町教育委員会は、窪田阿蘇神社の御神幸祭が下井手の水利を共有する地域によって古くから営まれ、祭礼の形式が伝統的に継承されていることなどから２０２２(令和４)年10月19日、町の無形民俗文化財に指定しました。

〈南小国町＝町指定無形民俗文化財〉

中原楽（なかばるがく）（2021年10月2日付）

山里で守る神仏混交の楽　中世武家社会の影響も？

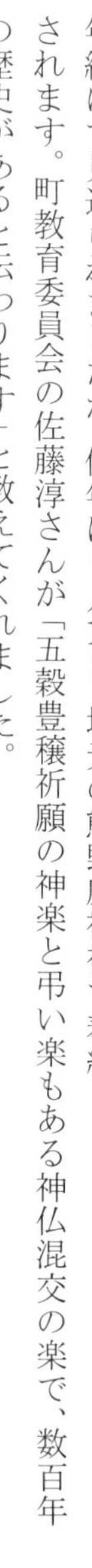

　今回は南小国町中原地区に伝わる中原楽のお話です。コロナ禍で2年続けて見送られましたが、例年は9月18日、地元の熊野座神社で奉納されます。町教育委員会の佐藤淳さんが「五穀豊穣祈願の神楽と弔い楽もある神仏混交の楽で、数百年の歴史があると伝わります」と教えてくれました。

　上中原と瓜上（うりあげ）集落で受け継ぎ、熊野社の例大祭のほか10月16日に小国町・小国両神社の神幸行列で南小国町の御仮屋まで舞いながら先導します。

　太鼓と横笛、両手で持つ鉦（かね）の楽に乗り、なぎなたやひょうたん付きの棒、鉦などを持つ大人と、胸に小太鼓を着けた子どもが道具を振りかざしたり跳ねたりしながら舞います。楽長と副楽長は紋付きはかまで笛吹きはかみしも姿。他の楽士は紺のじゅばんに胸当てとたすき、裁着（たっつけ）ばかまで武家の舞を思わせます。

　中原楽保存会顧問の毛利美勝さんは「中原楽の詳しい記録は少なく、京都から伝わったなどの伝承があります」とした上で、「南小国には鎌倉時代の元寇で北条氏が建立した満願寺があり、その時に伝わったとも考えられます」と言います。

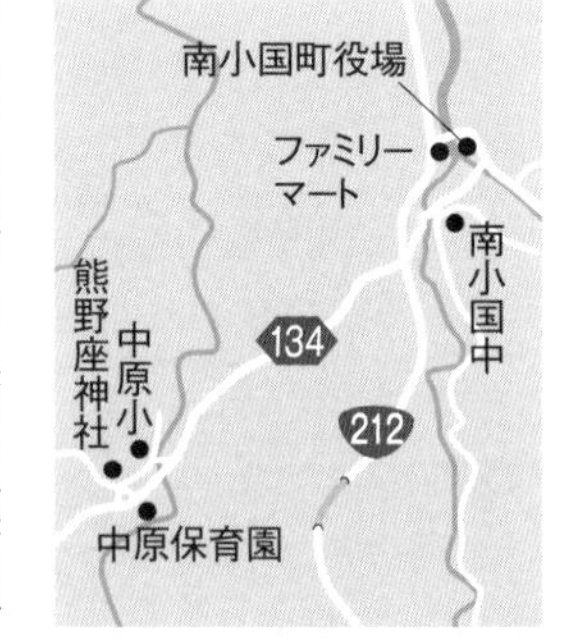

2014年に南小国町の熊野座神社で奉納された中原楽(資料写真)

毛利さんは以前、集落を流れる中原川上流の箱城という高台に残る2基の墓石を調べたそうです。「昔、この近くに中原という家があり、後に菊池に移ったという伝承があります。その家が中原楽と関係あるかもしれません」と毛利さん。年代は分かりませんが、大きい墓石に「源政忠大舘左衛門佐墓」、小さい方には「源政治中原又兵衛之墓」と刻まれていました。

今回、墓石に残る名前を調べると、「細川家家臣略系譜」に「大舘左衛門佐政忠」や「又兵衛」などの名前が出てくる中原家の系図がありました。「政忠」は2代目で初代は「大舘治部大輔晴忠」とあります。この大舘晴忠という人物は、細川藤孝や三渕藤英らと共に、室町幕府最後の将軍・足利義昭に仕えた側近です。

熊本大永青文庫研究センターの今村直樹准教授に尋ねてみると、「細川家文書の記録では2代目の政忠(中原夘兵衛)が1534(天文3)年に小国の中原村にやって来て、4代目の又左衛門が1597(慶長2)年に菊池の広瀬古閑村に移って農業を営んだとあります」とのこと。

1534年といえば、足利義昭が生まれる3年前。そのころ2代目政忠が小国に来たとすると、初代に晴忠とあるのは年代が食い違います。「この先祖書は子孫の申告に基づいており史実と異なる部分もあるかもしれませんが、4代目が菊池に移った点は地元の伝承と符合します」と今村准教授。

この中原家には有能な人物が多かったようです。「9代目の文次郎は1754（宝暦4）年に広瀬古閑村の庄屋になった後、新古閑村や木庭村の庄屋も掛け持ちし、その功績や藩への『寸志』で郷士身分に取り立てられています」と今村准教授が言います。その後も子孫らが功績を重ね、幕末には蔵米300石の知行取りだったようです。

中原家と中原楽の関係は分かりませんが、室町末期の混乱で散り散りになった幕臣の一門だったとすれば、都の文化を中原村にもたらした可能性も考えられます。佐藤さんは「中原楽の演目には江戸時代に流行した伊勢踊りもあります。中原地区は菊池方面と阿蘇や大分などとを結ぶ要衝で、時代を追ってさまざまな要素が加わり、今の姿になったのかもしれません」と話します。

【メモ】
中原楽では「村童（むらし）」と呼ばれる子どもも正式な踊り手です。戦後は子どもが増えて楽に出られない子がいたため上中原と瓜上の1年交代で舞っていましたが、少子高齢化もあり、保存会として再び一緒に舞うようになりました。

〈八代市＝国選択無形民俗文化財〉

植柳（うやなぎ）の盆踊（ぼんおどり）

（2021年7月3日付）

白装束の特異ないでたち　所作に念仏踊りの影響も

八代市の中心部にある八代城（松江城）跡から南に向かい、前川と球磨川に架かる橋を渡ると植柳上町。橋のたもとから左に見えるのが植柳小学校です。お盆の8月14日の夜、この小学校のグラウンドで植柳盆踊り大会が催されます。

「笛や太鼓などを使わず、人の口説歌（くどきうた）だけで輪を描いて踊ります。正式には白装束で男性は編みがさ、女性は黒い頭巾姿です」と、八代市文化振興課の吉永明さんが教えてくれました。

七七調の物悲しさも漂わせる口説に合わせ、男性は前かがみ気味に足を跳ね上げながら進み、女性は単調な足の運びで、上体をのけぞらせるようにして両腕をゆらりと交差させます。そのいでたちと踊りの風情から、別名「亡者踊り」とも呼ばれます。

20ほど伝わる詞章（歌詞）の代表が、江戸時代の若い男女の悲恋を描いた「折助おすて」の物語です。植柳村の折助とおすては互いに見初め合い、将来を誓いますが、おすてには既に親同士で決めた縁談がありました。将来をはかなんだ二人は植柳の外れの小栗塚で心中したといいます。

植柳盆踊りの特異な衣装は折助とおすての道行き装束と伝わります。また、上体をのけぞらせる所

作について、植柳盆踊り保存会の野﨑陽子会長は「あの世で添い遂げたいという願いを表しているように思います」と語ります。

古くから、この衣装で初盆の家を訪れ、家族と踊る習わしがありました。故人の霊を迎えて踊る盆踊りの原点ともいえそうです。その伝統は、今も保存会の会員が受け継いでいます。

踊りには手を合わせて拝むような所作もあり、吉永さんは「中世の都ではやった念仏踊りの要素が見られます」と言います。ではどのようにして都から植柳に入ってきたのでしょうか。

慶長年間の「肥後国絵図」を見ると、大地震で倒壊する前の八代城（麦島城）が球磨川河口北岸に描かれ、南岸が植柳です。「当時の植柳は海に面した港でした。人や物資が出入りし、文化も入ってきたはずです」と吉永さんが言います。

例年の植柳盆踊り大会では、口説き手が登る櫓の周りを保存会の会員や市民が輪になって踊ります（資料写真）

そのころ既に八代海の干拓が行われ、堤防や樋門工事などで犠牲者が出ることも多かったでしょう。「死者の供養や工事の安全、豊作などを願う民衆が増えるところに入って来た念仏踊りに娯楽の要素が加わり、江戸時代前半には定着したと考えられます」と吉永さん。

国の文化財選択に際しては、「楽器を用いず、一定の旋律、所作を繰り返して古風さをうかがわせる一方、単調な足運びながら洗練された踊り振りに、芸能の変遷過程をうかがわせる」と評価されました。

保存会は植柳小の子どもたちにも踊りを教えたりしています。会長の野﨑さんは「植柳の人が何かで集まると必ず踊るといわれるほど盛んになりましたが、若い会員を増やし、植柳盆踊りを後世にきちんと伝えていきたい」と話します。

【メモ】
「植柳の盆踊」のほかに八代市泉町久連子の「古代踊」(国選択無形民俗文化財)は、久連子鶏の尾羽で作った「シャグマ」と呼ばれる笠(かさ)をかぶり、太鼓や鉦(かね)をたたいてお辞儀を繰り返しながら踊り、念仏も唱えます。平家の落人が都をしのんで舞ったとも伝わり、今も京都の寺などで続く踊り念仏を思わせます。

〈高森町＝町指定無形民俗文化財〉

風鎮太鼓（ふうちんだいこ）（2021年9月4日付）

雨乞いと風鎮め祈る太鼓　新たな打ち手が後継育成

8月の高森町を祭り一色に染め上げる風鎮祭は、コロナ禍で2020（令和2）年、21年と中止となりました。例年の祭り初日の夕方に、商店街中心部の町観光交流センターである開会式を飾るのが、今回ご紹介する風鎮太鼓です。「この太鼓は元々、高森阿蘇神社に伝わる雨乞いと風鎮めを祈願する神事の太鼓でした」と高森町教育委員会の植田雄亮さんが教えてくれました。

町中心部から南へ車で5分ほどの高森阿蘇神社を訪れてみました。拝殿前の石段の両脇にヒノキの巨木が並び、説明板には樹齢500年余りとみられる南郷桧（なんごうひ）の母樹とありました。この境内で奉納されていた雨乞い太鼓が1965（昭和40）年、名称を現在の風鎮太鼓に変え、風鎮祭をはじめ町内外でも披露されるようになります。

78年には観光・商工業者を中心とする高森風鎮太鼓保存会も発足。保存会長を務める町商工会長の吉良嘉人さんは「平成の初めごろには全国に太鼓ブームが広がり、熊本県と交流があった米モンタナ州に出かけて演奏したこともあります」と振り返ります。

しかし、その後は若手の流出や少子高齢化で後継者確保が課題に。植田さんは「高森高校の部活など

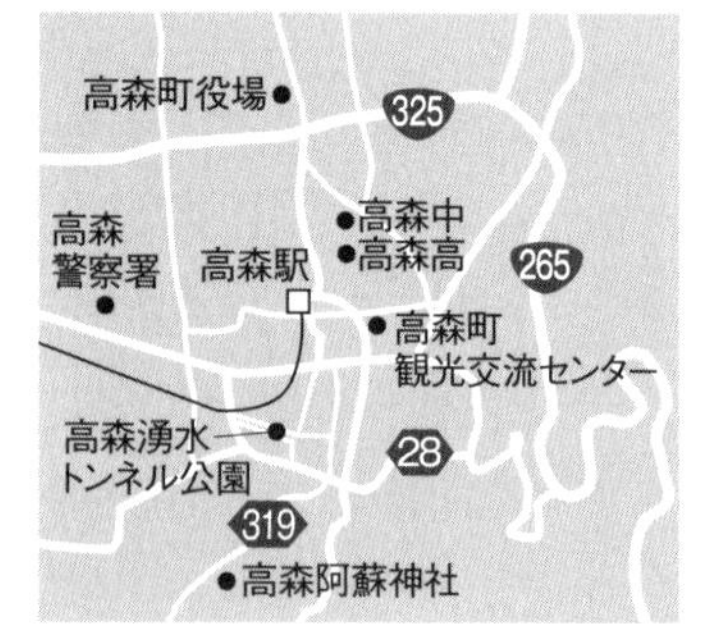

2007年の風鎮祭開会式で風鎮太鼓を披露する保存会メンバー（資料写真）

を通じて後継者育成も図っていますが思うに任せず、風鎮祭の中止がどう影響するかも本当に心配でした」と話します。

そうした中で、思いもかけない福音が届いたそうです。「2020年11月から町の地域おこし協力隊として活動する『096k（オクロック）熊本歌劇団』に本田真子さんという太鼓の打ち手がいて、風鎮太鼓の指導などを引き受けてくれることになりました」と植田さん。

本田さんは大分市出身。小3で太鼓を始め、高校生の時には湯布院の「三代目源流少年隊」に所属し、2018年に石川県であった日本太鼓ジュニアコンクールでグランプリの内閣総理大臣賞を獲得しています。「聴く人の心に振動として伝わるのが太鼓の魅力。好きな太鼓で町に貢献できるのは光栄です」と話す本田さんは、阿蘇出身の団員、片山紗雪さんと一緒に子どもたちの指導などにも当たるそうです。

風鎮祭は1752（宝暦2）年、町方の商人衆が高森阿蘇神社に五穀豊穣を祈願し、農家への感謝も込めて始めたとされます。たわしやざる、茶わんなどの日用品を使った造り物の山引き、総踊り、花火、高森にわかなどでにぎわいます。

にわかは大阪がルーツとされ、造り物も西日本各地に広がるものが伝わってきたと考えられます。

植田さんは「風鎮祭は熊本と宮崎や大分を結ぶ交通の要衝にあって人や物、文化の往来で栄えた高森の歴史を物語っています」と話します。

風鎮太鼓も菊池や宇土などから入ってきたという説があるとのことで、本田さんらの参加で新しいＤＮＡが加わりそうです。

【メモ】

高森阿蘇神社の南郷桧は、江戸時代後期に熊本藩主が乗る御座船「泰宝丸」の帆柱に使われ、比類なき良材として推奨されて、白銀３枚が奉納されたと伝わっています。

〈高森町＝国選択無形民俗文化財〉

高森（たかもり）のにわか　（2019年5月18日付）

風鎮祭の街頭で披露　伝統芸能の特徴残す

にわかという出し物をご存じでしょうか。今回ご紹介する高森のにわかは、今でいう即興のコントです。昭和の合併前の旧高森町の若者組を前身とする5つの町内の「向上会」が8月の風鎮祭の夜、人出でにぎわう町中心部の街頭で披露します。

各向上会が馬車やトラックを改造して三味線、太鼓の囃子方（はやしかた）を乗せた移動舞台を引いて10カ所ほど回り、場所ごとに異なるネタを演じます。「にわか雨」などの「だしぬけ」や「突然」の意味に由来する「にわか」という伝統芸能の特徴が色濃く残る出し物です。

まず、舞台に立った若者が拍子木を打って外題を述べ、お囃子に乗って役者が登場します。役者は3歩進んで2歩下がる「道行き」で舞台を回ってから、時事ネタを盛り込んだアドリブ満載のコントを披露。観客と呼吸を合わせた「落とし」で締めます。

高森町教育委員会社会教育係の林田恵梨子さんは「高森のにわかがいつ、どこから伝わったかは、はっきりしません」とした上で、「1752（宝暦2）年に高森阿蘇神社の風鎮祭が始まったのと同じころとされています」と言います。

お囃子を奏でながら練り歩き、辻々でコントを披露するといった要素は、１９９６(平成８)年に国選択の文化財になった岐阜県の「美濃流しにわか」などとよく似ています。近世の大阪で生まれたとされるにわかですが、高森のにわかには舞台での「道行き」など中世以来の能・狂言に通じる手法が残っています。

「ほかにも各地の出し物や落語の芸の要素があったりします。高森は豊後(大分)、日向(宮崎)との国境にある要衝で旅館もたくさんありました。そのため各地の文化が入ってきています」と高森町文化財保護委員長の山村將護さん。

近年、山の高森と海の牛深との人の交流が深まり、牛深ハイヤが風鎮祭で披露されるなどしています。「高森のにわかも、同じようにして伝わってきたのではないでしょうか」と話す林田さんも、熊本市植木町出身です。

2018年8月の風鎮祭で演じられた高森のにわか

即興が持ち味のにわかですが、各向上会のメンバーは8月に入ると10余りのネタを必死に考え、道行きなどの稽古を重ねるそうです。高森町にはこうして地元の文化を伝承する力が残っています。

高森のにわかは県や町の文化財指定がなく、２０１９年3月にいきなり、「国選択無形民俗文化財(記録作成等の措置を講ずべき無形の民俗文化財)」になりました。いかにも「にわか」らしい決まり方でした。

【メモ】

風鎮祭は8月のお盆のころ、午前0時の爆竹に続いて三味線や太鼓のお囃子、寸劇が街中を回る「目覚まし」で開幕。にわかや風鎮太鼓、打ち上げ花火、造り物の山引きなどでにぎわいます。

〈長洲町＝町指定無形民俗文化財〉

長洲嫁入り唄（ながすよめいりうた）（2019年9月7日付）

江戸時代からの伝統芸能　花嫁の幸せを願うエール

重さ300キロの金魚みこしを担いで走るタイムトライアルや花火大会などで盛り上がる長洲町の「のしこら祭」。例年多くの人出でにぎわいます。

この「のしこら祭」という風変わりなネーミングの由来になったのが、今回ご紹介する「長洲嫁入り唄」です。

長洲町教育委員会生涯学習課社会教育文化係長の中山太喜さんによると、「江戸時代中期から、有明海沿岸地域の嫁入り道中で歌い継がれてきたと伝わる歌」です。

民謡の世界で「肥後の嫁入り唄」としても知られるこの歌は、次のように始まります。

「親は鈍なもの柴茶に迷いて　ノンシコラ　知らぬ他村に娘やる　アラヨカ　ノンシノンシ
ホッホヨカヨカ　ユウナカバッテンドウシュウカイ　カンネンサイ　カンネンサイ…」

意味は、「親というのは愚かなもので、村の世話役に番茶を出されてうろたえてしまい、言われるがまま大事な娘をよその知らぬ男の嫁に出すことになった。仕方がないから観念しなさい…」といったところでしょうか。

1959年ごろとみられる嫁入り道中の写真。通りは四王子神社近くの国道389号（長洲町教委提供）

そして2番は「親と親との約束ならば　ノンシコラ　行かじゃなるまい泣く泣くも　アラヨカ　ノンシノンシ…」と続きます。こうなると、めでたい祝言に際して歌うには、いささか身もふたもない気がします。

ただ、地元の「長洲嫁入り唄保存会」などが収集した後続の歌詞には「嫁が泣いたら婿殿に世話をかけるから辛抱しなさい」といった趣旨のくだりはありますが、「嫁ぎ先の両親には孝行を尽くせ」とか「夫の言うことに背いてはならぬ」といった、修身のような項目はありません。

「この歌を歌ったのは、主に花嫁を送り出す側の伯（叔）母やいとこなど、親族、友人の女性たち。『ノンシコラ』には『熨斗（のし）を添える』の意味もあるとされ、封建時代の女性たちが花嫁の幸せを願って贈るエールの歌でした」という中山さんの説明で合点が行きました。

お隣の荒尾市にもほぼ同じ嫁入り唄がありますが、中山さんは「この歌のルーツや、どう広がったのかなどあまり分かっておらず、少しずつ調べていきたい」と話します。

現在では嫁入り道中はほとんどなくなりましたが、披露宴などに保存会メンバーが招かれて披露するそうです。「自分の結婚式を懐かしむお年寄りも多く、録音したCDを高齢者施設に貸し出すこともよくあります」と中山さん。

１９８７（昭和62）年に、町の夏祭りの名称が「のしこら祭」になったことからも、この歌が地元に愛されてきたことが分かります。今では、長洲町と全町民を応援する歌になっています。

【メモ】

２０１６（平成28）年５月には長洲嫁入り唄保存会の呼びかけで、約30年ぶりに嫁入り唄を歌いながら花嫁を送る嫁入り道中が、名石神社周辺で再現されました。

〈玉名市＝市指定重要無形民俗文化財〉

四十九池神社奉納楽・奉納花火（2021年6月5日付）

手作りの花火と楽で鎮魂　200年超す歴史持つ祭礼

国道208号玉名バイパスの築地上（ついじかみ）交差点から北に入った静かな住宅街の奥に四十九池神社があります。今回ご紹介するのは、この神社の毎年10月15日の例大祭で奉納されてきた楽と花火です。玉名市教育委員会文化課の大倉千寿さんが案内してくれました。

神社の名前は境内の西に接する「四十九池」にちなみます。社伝によると戦国時代の末期、小代氏に攻められて討ち死にした大野氏の49人の霊が池周辺に現れるため、築地山中にあった比咩御子神（ひめみこのかみ・阿蘇四之宮）を移したと伝わるそうです。「この楽と花火は五穀豊穣と家内安全を願い、鎮魂の思いも込めて奉納するとされています」と大倉さん。

例大祭の花火のうち、「築地四十九池神社花火保存会」の会員と玉名市築地の住民が上・下・西の地区ごとに手作りする6種類の奉納花火が文化財に指定されています。

当日は宵闇迫るころ、地元の「築地四十九池神社楽保存会」のメンバーが三味線、太鼓、しの笛で楽を奏でながら参道を進み、拝殿で演奏します。やがて花火に点火。拝殿前から二の鳥居まで約80㍍の参道を、飛ぶように火玉が往復する「ねずみ火」で幕を開けます。

四十九池神社の拝殿前に立てた杉柱の仕掛け花火が境内を明るく照らす「中入り」（資料写真）

そして拝殿で楽の演奏が続く中、長さ約２㍍の竹ざおロケットが天高く上る「流星」、参道に立てた竹の先から放射状に火花が散る「傘火」、拝殿前の杉柱に細く割いた２００本前後の竹を取り付けて火薬を仕込んだ「中入り」、地面の竹筒から火柱が上がる「吹き出し」などの伝統花火に、ナイアガラやスターマインといった現代花火も交じります。

この奉納楽と花火はいつごろ始まったのでしょうか。火薬は１５４３（天文12）年にポルトガル人がもたらした鉄砲とともに伝わりました。それから江戸初期までは火縄銃などの軍需中心ですが、世の中が安定すると娯楽としての花火にも使われるようになります。

玉名市教委が文化財指定に向けて行った調査では、築地地区で火薬の調合法などを記した１８５９（安政６）年の古文書が見つかりました。この文書を所蔵していた家は、細川家から最初に火薬の取り扱いを許可されたと伝わるそうです。花火製造の道具などを入れたと考えられる、細川家の九曜紋入りの木箱もありました。

また、奉納楽の詞章（歌詞）をまとめた１８１１（文化８）年の「四十九池社章句集」には、「（例大祭は）いにしえより九月十六日（現在の10月15日）に行われ…」とあり、大倉さんは「少なくとも２００年前には楽と花火がセットで奉納されていたことが分かりました」と話します。

「熊本藩年表稿」には１７５８（宝暦８）年８月に「町人花火禁止」と出ており、肥後ではそのころ既に花火が盛んだったことがうかがえます。

大倉さんは「奉納花火は現在の６種類以外にもありましたが、男子のみに継承して作業していたので、女児だけだった家で廃れたものもあります。さらに資料などを調べたい」と思っているそうです。


【メモ】

２０２１（令和３）年３月に奉納楽・奉納花火が市の重要無形民俗文化財に指定されたのと一緒に、古文書や火薬の調合道具、石積みの流星発射台なども市の重要有形民俗文化財に指定されています。

〈荒尾市＝市指定無形民俗文化財〉

上荒尾熊野座神社神楽（かみあらおくまのざじんじゃかぐら）

（２０２０年10月17日付）

出雲神楽の流れくむ様式　地元の子らが伝統を維持

神楽は、天の岩戸に隠れた天照大神（あまてらすおおみかみ）に出てきてもらうため、天鈿女命（あまのうずめのみこと）が岩戸の前で舞った故事にちなむとされています。古事記に出てくる神話の世界の話ですから、日本で最も古い歴史を持つ芸能の一つといって差し支えないでしょう。

全国各地に、巫女（みこ）が舞う神楽や仮面劇と面をかぶらない素面の舞いによる神楽、沸かした湯で汚れをはらう湯立て神楽、獅子神楽などさまざまな形で継承されています。今回ご紹介する上荒尾熊野座神社の神楽は素面で「採物（とりもの）」を持つ舞いもある出雲神楽の流れをくみ、熊本県内でおよそ１００の組織が受け継いでいる肥後神楽の一つです。

「採物を持って舞うなど肥後神楽の特色があります。子どもたちだけで舞うことが一番の特徴で、地元では上小路（かみしょうじ）子ども神楽と呼ばれています」と荒尾市文化企画課の福田拓也さん。

上小路地区の、主に小中学生の舞手が、楽人の太鼓と笛の調べに乗り、右手に鈴、左手に御幣や剣、弓の採物を持って素面で舞います。10曲12座の演目により、１人から４人の舞手が左手の採物を替えていきます。荒尾市にはほかにも、平山の菅原神社と万田の厳島神社の神楽があったそうですが、今で

2人の舞手が鈴と剣を持って舞う3番目の「剣(二人舞)」(2019年4月14日、荒尾市提供)

はここだけになってしまいました。

上小路の神楽の由来ははっきりしませんが、約１７０年の歴史があるとされています。各地の神楽は、江戸時代まで神職や特別に選ばれた氏子らが舞っていたものが、明治に入ると一般の氏子も神職から習って舞うようになったそうです。こうした変化も上小路の神楽の由来と関係があるのかもしれません。

「荒尾市史」によると、明治以降、上小路の青年男子が舞っていましたが、昭和10年代から子どもが参加していたようです。また、上荒尾熊野座神社神楽保存会によると、第２次大戦後、地区の青年の数が減って子ども主体となり、女子も参加するようになったそうです。

神楽は神社の春の例大祭(ごんげんさん)に合わせ、毎年４月14日の夜と15日の日中に境内の拝殿で舞われます。近年、お祭りの日程を氏子や観客が集まりやすい祝日に合わせたりするところも増えていますが、福田さんによると、ごんげんさんは今も「曜日に関係なく、４月14日、15日と決まっています」。また、舞手も上小路地区の子どもに限られているそうです。

大人が舞っていた神楽を子どもに舞わせるなど、新たな要素を大胆に採り入れることで伝統を維持してきた上小路の子ども神楽ですが、現在は全国に共通する少子化の難題に直面しているそうです。

各地の祭事と同様、コロナ禍では例大祭が神事のみになったりするなどしましたが、その後は男子は狩衣に烏帽子、女子は髪飾りに舞衣姿の子どもたちの神事が復活しました。

【メモ】
上荒尾熊野座神社は明治時代に入るまでは「上小路熊野権現宮」と呼ばれていました。1454（享徳3）年に地元の鎮守として紀伊・熊野から権現宮を勧請したのが始まりとされています。

〈南阿蘇村＝国選択無形民俗文化財〉

長野岩戸神楽（ながのいわとかぐら）（2022年4月16日付）

住民が演じる神話の世界　起源は出雲の畳替え神事

とぐろを巻いて暴れる大蛇と素戔嗚尊（すさのおのみこと）が大立ち回りを演じる「八雲拂（やぐもばらい）」や、舞手が10㍍以上の青竹をよじ上って三種の神器の鏡を受け取ってくる「天皇注連（てんのうしめ）」など、地元住民が神話の世界を演じる長野岩戸神楽。

例年5月と10月、南阿蘇村長野地区にある長野阿蘇神社の例大祭に合わせ、神社前の神楽殿で奉納されます。村教育委員会社会教育係の竹永昂平さんと総務課の野田博文さんに紹介してもらいました。

全国に数ある神楽の中で、天照大神（あまてらすおおみかみ）の天の岩戸神話に材を取るので岩戸神楽。県内では主に阿蘇地方に伝わり、阿蘇市波野の「中江の岩戸神楽」や南小国町の「吉原の岩戸神楽」も国選択無形民俗文化財です。長野岩戸神楽保存会（飛瀬孝治会長）役員の野田さんは「この神楽も大分の豊後岩戸神楽の流れをくみ、宮崎の高千穂神楽の要素もあるとされます。よそと比べてテンポが速いのが特徴です」と言います。

演目は、素面で御幣、榊（さかき）、鈴、剣などの「採物（とりもの）」を持ち、古くは神官が舞ったという神事色が濃い採物舞と、神々の面を着け、小道具などを使いながら神話の世界を描く演劇風の舞と

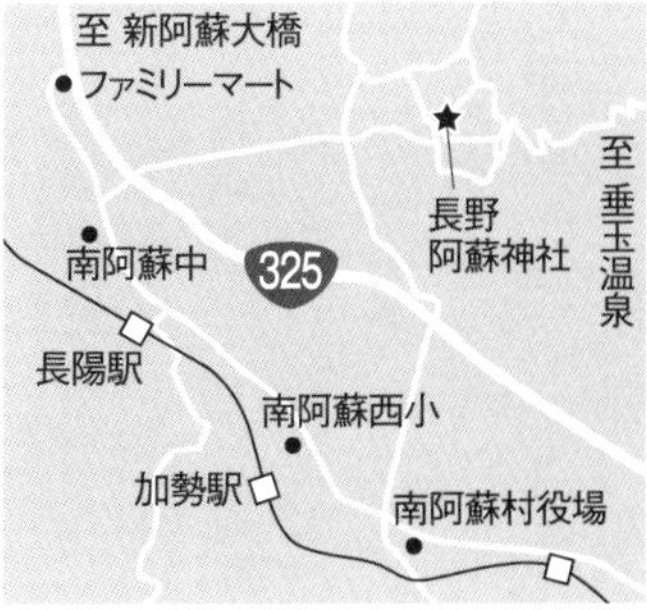

素戔嗚尊が酒で酔わせた八岐大蛇（やまたのおろち）と大立ち回りを繰り広げる「八雲拂」（資料写真）

に分かれます。

合計三十三座ありますが、単に見せるだけでなく、天照大神がこもる岩戸の前に奉納する榊を探す荒神が、観客と榊（柴）を引っ張り合って榊を大地から抜く様を演じる「柴引荒神（しばひきこうじん）」は、神々と人が共に楽しむ神楽本来の姿を思わせます。「会場が最も沸く場面ですが、舞手の高齢化も進んでいて、舞いながら観客と引き合うのはこたえます」と野田さん。

この長野岩戸神楽の由来をたどると、豊後から出雲にたどり着くそうです。合併前の「長陽村史」には、島根県松江市にある佐太神社の莫蓙替（ござかえ）神事で奉納される「佐陀神能（さだしんのう）」が西日本各地の岩戸神楽などに広がったと紹介してあります。

「莫蓙替」とは、神々を迎える社殿の畳替え。神事の舞では採物として剣や榊のほか、真新しい畳表を持つ舞もあるそうです。面を着けて舞う神能は室町時代末に猿楽能の影響を受けて成立したとされます。イ草・畳表の主産地熊本からすると、岩戸神楽の起源が畳とは不思議な縁を感じます。

長野阿蘇神社は、阿蘇神社大宮司の阿蘇氏一門だった長野氏が構えた長野城跡にあります。1585（天正13）年、北上してきた島津勢との戦いで討ち死にした長野惟久の子孫が全国を回って神楽を学んできたと伝わります。ただ、大掛かりな仕掛けも使う演劇風の要素が加わって現在の神楽に仕上がったのは明治に入ってからのようです。

かつては長野地区の住民だけで舞っていましたが、後継者不足のため現在は村内の子どもたちに広く声をかけ、一緒に舞うようになっているそうです。教育委員会の竹永さんは「この神楽が途絶えないように、きちんと保存するお手伝いに力を入れたい」と話します。

【メモ】

長野阿蘇神社の周辺では、長野氏が構えた長野城の遺構ではないかと思われるような構造物を見ることができます。

〈芦北町＝町指定無形民俗文化財〉

百木（ももき）の早苗振（さなぶり）

（2018年6月16日付）

昔の田植えを伝える余興　集落内の結び付き強める

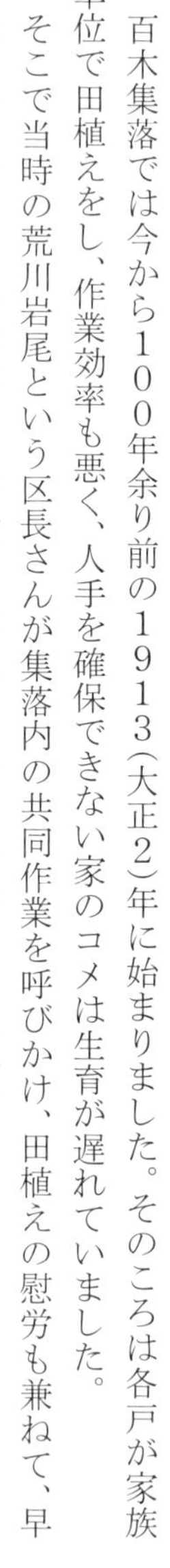

芦北町の湯浦交差点で国道3号を東に折れ、米田川沿いに開けた谷筋を上っていくと、やがて緩やかな棚田が続く百木集落に着きます。

芦北町教育委員会生涯学習課文化振興係長の深川裕二さんのイチ押しは、百木の人たちが田植えの後に豊作を祈願する早苗振の神事と、昔の田植えの様子を今に伝える余興です。「県内で受け継がれているのはほかに山都町の高畑年祢神社田植え踊りなどだけになっています」と深川さん。

百木集落では今から100年余り前の1913（大正2）年に始まりました。そのころは各戸が家族単位で田植えをし、作業効率も悪く、人手を確保できない家のコメは生育が遅れていました。

そこで当時の荒川岩尾という区長さんが集落内の共同作業を呼びかけ、田植えの慰労も兼ねて、早苗振と各地の祭りを参考にした余興を一緒に行うことになったそうです。

当日は朝の神事に続いて集落の境にしめ縄を張り、住民が阿弥陀堂横の公民館に集まって直会（なおらい）が開宴。興が乗ったころ、農作業開始を告げる鉦（かね）の音を合図に、大人2人がござをかぶって扮（ふん）した牛が前庭に登場します。

大人2人が、ござと手作りのお面をかぶり、牛に扮して登場する百木の早苗振。牛が引いているのは本物の田起こしの犂(2016年6月、資料写真)

牛は田起こしの犂(すき)や代かきの馬鍬(まが)を引き、よろけたり突進したりしながら、周りの笑いを誘います。その後、人が田んぼをならす代押し、苗配り、田植えと続き、最後は田植え踊りで田の神様を山にお送りする習わしです。

牛の衣装に身近なござを使うなど農耕祭事の原型ともいえるお祭りで、「当時の農作業を効率化しただけでなく、集落の結びつきを強めました」と深川さん。ただ、近年はトラクターやコンバインの普及で田植えなどの共同作業が減り、牛や昔の農具の使い方を知る人も減っているそうです。

百木早苗振保存会長の前田文雄さんは「後継者の確保が難しくなってきたことが悩み。ただ、早苗振神事はやめるわけにはいかない。何とか集落内の協力を得て続けていきたい」と話します。

【メモ】

百木の早苗振は例年、田植えが一段落する6月末の日曜日に朝から神事があり、百木公民館での直会に続いて余興が披露されます。

名勝・天然記念物

〈球磨村＝国指定名勝〉

神瀬の石灰洞窟（2019年7月6日付）

藩主が描かせた絶景　日本最大級の鍾乳洞

球磨村役場の前から球磨川右岸の国道219号を八代方面に向かい、9キロほど走った山側に「神瀬の石灰洞窟」があります。1962（昭和37）年に県の天然記念物に指定された鍾乳洞です。

国道沿いに立つ鳥居が目印ですが、入り口が樹木にさえぎられていて、気付かない人も多いようです。案内してくれた球磨村教育委員会社会教育係の地下克愛（ぢげ・かつなり）さんも「子どものころ、よく鳥居近くの友達の家に遊びに来ましたが、洞窟は知りませんでした」と言います。

鳥居をくぐって歩き始めるとすぐ上り坂になり、やがて切り立った山腹の開口部が姿を現します。幅45メートル、高さ17メートル、奥行き70メートル。日本最大級とされる迫力はさすがです。入り口に、縁結びの御利益があるとされる岩戸熊野座神社があり、その奥は深さ40メートル近い落ち込みで底は池になっているそうです。「以前は社殿の奥まで行けましたが、崩落の危険性があるため、現在は立ち入り禁止です」と地下さん。

神瀬の石灰洞窟入り口。身長170㌢の地下さんに神社の拝殿前で手を振ってもらいました

洞窟がある地層は数億年前の中生代の石灰岩層で、球磨川の対岸まで続いているそうです。そういえば、対岸にあるＪＲ肥薩線の駅名は「白石」でした。洞窟の天井部には無数の鍾乳石が下がり、その大きさから1万年以上前のものと推定されています。

入り口の大きさに比べると奥行きが浅く、「洞窟」というより「岩屋」の趣です。実際、江戸時代の熊本藩主・細川斉茲（なりしげ）が、藩のお抱え絵師に領内の名勝を描かせ、１７９３（寛政５）年ごろに完成した「領内名勝図巻（ずかん）」には「求麻川筋　神ノ瀬ノ岩屋」として登場します。

この図巻に描かれた名勝４７８カ所のうち、場所が特定でき、景観が損なわれていない神瀬の洞窟や山都町の五老ケ滝など5カ所が、２０１５（平成27）年に一括して国の名勝に指定されました。

「球磨村誌」を読むと、洞窟の奥は落石でふさがれているようで、その奥に「千古の姿を秘めた大空洞の存在が十分予測されます」とあります。洞窟の入り口に近づくと空気が急にひんやりするのは、奥から冷気が出てくるからでしょうか。「今も雨が続いた後は洞窟の天井からポタポタ水滴が落ちてくるので、水脈は生きています」と地下さん。

おそらく、冬場は暖かく感じられることでしょう。イワツバメ数百羽がここで越冬することでも知られています。見学の際には、水滴だけでなく、上から落ちてくる糞にも注意が必要です。

【メモ】

神瀬の石灰洞窟は２０２０(令和2)年7月豪雨で被災し、岩戸熊野座神社社殿などの損壊は免れましたが、国道沿いの鳥居から洞窟入り口へ向かう斜面が崩壊し、立ち入りできなくなっています。

〈山都町＝国指定天然記念物〉

ゴイシツバメシジミ（２０１９年２月16日付）

絶滅の危機にひんする　原生林の希少なチョウ

ゴイシツバメシジミというと、水上村が頭に浮かぶ方が多いかもしれませんが、今回はこれまであまり報じられてこなかった山都町からです。

ゴイシツバメシジミは１９７３（昭和48）年に水上村で発見されました。翅（はね）を広げて幅２チセンほど。翅の裏には白地に碁石を並べたような紋様のあるかれんなチョウです。

発見時点で既に希少で、75年には国の天然記念物に指定され、山都町などでも生息が確認されました。現在は環境省のレッドリストに絶滅危惧種として載り、「種の保存法」の国内希少野生動植物種にも指定されています。許可なく捕獲したりすると、５年以下の懲役や５００万円以下の罰金などに処せられます。

しかし、「それでも違法な捕獲が後を絶たず、危機的な状況です」と山都町教育委員会生涯学習課学芸員の西慶喜さんが言います。

西さんは、ゴイシツバメシジミを紹介するかどうか悩んだそうです。「山都町は合併前から〝密猟〟を招くのではないかという懸念もあって、ゴイシツバメシジミを積極的にＰＲしてきませんでした。し

かし、もはや伏せておくだけでは守れないという判断に至りました」

ゴイシツバメシジミの幼虫は、照葉樹に着生するシシンランの花やつぼみだけを食べて育ちます。そのシシンランは、「人の手が入っていない、成熟度の高い照葉樹の原生林にしか分布していません」と西さん。言ってみればゴイシツバメシジミは、この日本列島に太古から残っている照葉樹林の精のような存在とも言えます。

かつては西日本各地の原生林にいたとみられますが、戦後、森林伐採や針葉樹の植林が進み、生息地が激減したと考えられます。地球温暖化も影響しているかもしれません。

山都町で撮影された雌のゴイシツバメシジミ（山都町教育委員会提供）

そこに、違法な捕獲が追い打ちをかけます。地面にオキアミをまいてゴイシツバメシジミの成虫をおびき寄せて捕まえたり、原生林の大木にくぎを打ち込んで登り、着生しているシシンランを幼虫ごと持ち去ったりしたとみられる跡が山都町でも見つかっているそうです。

町は２０１８（平成30）年、有識者や行政、民間の自然保護関係者による「ゴイシツバメシジミ保存対策調査委員会」を設置。保護のための普及啓発や、保護増殖などに努めています。

西さんは「ゴイシツバメシジミの生息が確認されているのは日本全国で水上村と山都町だけになっています。まず希少なチョウが違法捕獲などで絶滅の危機に直面していることを知ってほしい」と話しています。

【メモ】
ゴイシツバメシジミ保護の観点から、地図では詳しい生息域などを省略しています。

〈南小国町＝国指定天然記念物〉

志津川(しづがわ)のオキチモズク発生地(はっせいち)（2019年1月12日付）

国指定は全国で3カ所　住民が守ってきた環境

今回ご紹介するのは南小国町満願寺のオキチモズクです。淡水産の紅藻類で、環境省のレッドデータブックで絶滅危惧種とされています。ただ、天然記念物に指定されているのは、オキチモズク自体ではありません。

南小国町教育委員会社会教育係の河津一也さんは「オキチモズクは毎年生え変わるので、ケヤキやイチョウの古木のような個体ではなく、発生する区域、その環境が国の天然記念物になっています」と言います。

そう聞いて人里離れた山あいのせせらぎをイメージしていましたが、実際に訪れてみると、地名の由来となった満願寺の門前から下流約1キロの範囲の志津川が指定区域とのこと。すぐ上流部は満願寺温泉の中心街で意外な感じがしました。「生育条件は、樹木などの日陰があること、川の流れが緩く、水温が高過ぎも低過ぎもしないことなどですが、水がきれいなことが大前提です」と河津さん。

県内でも、これまで熊本市の江津湖周辺や菊池市などの緑陰に澄んだ水が湧く場所で発生が報告されています。しかし、毎年発生が確認され、国指定を受けているのは、1959（昭和34）年に指定された志津川のほか、長崎県雲仙市の土黒川（1961年指定）、名前の由来になった愛媛県東温市のお吉

満願寺近くのオキチモズク発生区域。川底の石や砂利まで見えるほど水が澄んでいます。円内は2018年1月、河津一也さんが撮影したオキチモズク

泉周辺（1944年指定）だけ。温泉の成分や水温などが影響するのかもしれません。

満願寺は、1274（文永11）年の元寇に際し、北条氏が国土安泰を祈願して建てた寺です。そのころから人々が暮らす土地に、こうして希少な藻類が育つ自然が残るのは「住民が川を大切にしてきた証しです」と河津さん。その環境を守るため、町も下水道整備などに力を入れています。

オキチモズクは晩秋から冬にかけて幼体が発生し、川底の石などに付着して赤褐色の糸状に繁茂し、夏には姿を消します。2018（平成30）年1月、河津さんは熊本市であった小国郷出身者の集いでオキチモズクの話をすることになり、不安にかられたそうです。「前の年の7月に起きた九州北部豪雨で志津川も氾濫し、胞子が流されてしまったのではないかと心配していた」からです。

直前になって矢も楯もたまらず川に確認に行くと、ほんの数センチのオキチモズクが見つかりました。「講演でその話をすると『オーッ』と喜んでもらえました」。不思議なことにその年は成育が良く、例年より多く発生して、大きいものは約40センチまで育ったそうです。

河津さんは会社勤めの後、4年前から町役場でオキチモズクを担当しています。「毎年毎年、今年は出るだろうかと心配し、その分愛着がわきます」と話しています。

【メモ】

オキチモズクの〝見頃〟は４月からゴールデンウイークごろ。川に下りなくても見えるそうです。

〈上天草市＝県指定天然記念物〉

永目神社のアコウ

（2018年8月18日付）

天草島原一揆のころから　島の人々の生活見守る

取材に訪れた7月下旬、上天草市の田んぼでは超早場米を収穫するコンバインが動いていました。毎年、桜が咲くころには田植えが始まっている温暖な土地柄であることをあらためて思い出します。

そんな天草地方の海沿いなどでよく目にするのが亜熱帯植物のアコウ。分類上はイチジクの仲間の常緑樹です。

枝から垂れ下がる気根（きこん）と、海辺の岩場や他の樹木に網目のように絡みつく幹の姿が特徴で、「絞め殺し木」と呼ばれる木の一種です。

何やら物騒ですが、アコウの実を食べた鳥の糞に交じった種子が別の木の上で芽を出し、気根を伸ばして絡みつきながら上へ上へと育ちます。実際に絡みつかれた木が枯れることもあるそうですが、これは密林の中で少しでも多く日光を浴びて生き延びるためとのこと。亜熱帯のたくましい生命力を感じます。

上天草市教育委員会社会教育課学芸員の高野信子さんの案内で、姫戸町姫浦の国道266号沿いにある永目神社のアコウを見てきました。

永目神社の境内いっぱいに根を張り、地面を盛り上がらせているアコウ。幹や枝からたくさんの気根を垂らしています

幹周り約11メートル、樹高約15メートル。熊本県では第1位、全国でも3番目の大樹だそうです。狭い神社の境内いっぱいに根を張り、地面が盛り上がっています。「永目神社は、このアコウがあるところに後から移ってきたと伝えられています」と高野さん。

1996(平成8)年に、県の天然記念物に指定されました。樹齢はその時点で推定300年以上。取材に訪れた年は「天草島原一揆」の終結から380年に当たります。高野さんは「この木はもしかすると一揆の前後からの天草の移り変わりを見てきたのかもしれません」と話します。

写真を撮っていると、地元・姫戸小学校の児童3人が自転車で通りかかりました。神社のすぐ北隣に住む岡村恭吏(つかさ)君は「昔からこの木の下で遊んでいました。夏は日陰ができて涼しいから大好き」と話していました。

アコウは年に数回、新芽が出る時季に葉を落とします。大量の落ち葉を、地元の人たちが掃除するなどして保護してきたそうです。

炎天下、アコウの木陰に入ると、空気がひんやりしていました。その姿から、奄美大島ではアコウの木に妖怪がすむとされているそうですが、この天草では、一揆で疲弊した人々を静かに見守ってきた守り神が宿っているような気がしました。

【メモ】

永目神社へは、上天草市松島庁舎前から国道２６６号を通って約12キロ、車で15分ほど。「永目」バス停近く。

〈産山村＝県指定天然記念物〉

鞍掛(くらかけ)の櫟(くぬぎ)（2019年8月17日付）

豊後街道の難所の古木　旅人救った言い伝えも

加藤清正が整備した豊後街道は阿蘇市一の宮町坂梨から滝室坂を上って波野に入り、産山村南部を抜けて大分県竹田市久住町へと向かいます。加藤氏の後に肥後を治めた細川氏も、参勤交代などのため街道整備に力を入れました。

産山村内には2カ所、国の重要文化財に指定された豊後街道の石畳があります。「弁天坂」と「境の松坂」の石畳です。このうち、弁天坂の石畳は同村大利（おおり）の山道にあり、長さ88メートル、標高差20メートル。波野方面から来ると、急な下りの難所です。

今回ご紹介する「鞍掛の櫟」は、この石畳を下り終えた左カーブの斜面を登った茂みの奥に立っています。樹高20メートル、幹回り2・9メートル。かつては大枝を張っていたそうですが、養生のために切り落とされたとのことです。樹齢は推定で650年ほど。標柱に「日本一の鞍掛櫟」とあります。

近くの掲示板に、名前の由来が記されていました。弁天様が牛に乗って村中心部の山鹿のほこらに戻る途中、下り坂が急で鞍が牛の首まで下がったため、この櫟の枝に鞍を掛けて休息した——。その言い伝えから「鞍掛の櫟」の名が付き、坂道を「弁天坂」と呼ぶようになったそうです。

豊後街道の弁天坂の石畳の近くに立つ鞍掛の櫟

「弁天坂と、大分県境にある境の松坂は豊後街道の中で二重峠、滝室坂と並ぶ難所。火山灰土で、雨が降ればぬかるんだり流出したりするため、石畳が必要でした」と産山村教育委員会社会教育係の嶋本圭真さんが言います。

「産山村誌」などによると、この二つの坂道に残る石畳は江戸時代に産山村が組み入れられていた久住手永の惣庄屋・久住善兵衛が1807(文化4)年から4年の年月をかけ、地元民の公役として整備したそうです。当時は重機や草刈り機もなく、急斜面での建設作業や維持・整備は困難を極めたと思われます。

鞍掛の櫟は、幹に女性の乳房のようなこぶがあり、「垂乳櫟(たらちくぬぎ)」という別の名前でも呼ばれています。

その昔、旅人が精根尽きて櫟の下で眠ると母に抱かれて母乳を飲む夢を見た。翌朝目覚めると、落ち葉が体を暖かく覆い、こぶからの滴が口に流れ込んでいて、旅人は体力を回復した、と掲示板にあります。「以来、女性がこぶに触れると母乳の出が良くなるといわれています」と嶋本さん。

櫟の根元には1体の石のお地蔵様が置かれています。風化が激しく、いつごろのものか分かりませんが、近くで行き倒れた人を弔ったりしたのかもしれません。

熊本市出身の嶋本さんは「産山村は人口1500人で人が温かく、お互いが顔見知り。水道はすべて湧き水で、家で蛇口をひねると池山水源などの水がそのまま飲めます。そんな村の魅力や歴史をPRしたい」と話します。

【メモ】
弁天坂の石畳周辺には車では入れません。また、未整備の部分もあり、訪れる際は運動靴や水筒、雨具などの用意を。

〈益城町＝国指定天然記念物〉

布田川断層帯（ふたがわだんそうたい）

（2020年4月4日付）

地表に現れた31キロの断層　恵みと災いもたらす自然

2016（平成28）年4月14日と16日に最大震度7を観測した熊本地震で、震源となった布田川断層帯は阿蘇外輪の西原村から益城町、嘉島町にわたる長さ約31キロの部分が地表に姿を現しました。このうち益城町の杉堂、堂園、谷川の3地点が18年2月、国の天然記念物に指定されています。

益城町教育委員会生涯学習課の森本星史（としふみ）さんの案内で、西原村との境に近い潮井水源に現れた杉堂の断層を訪れました。「ここは古くから、阿蘇の豊富な地下水が湧く水源として知られ、多くの人が夏場の涼や清水を求めて訪れてきました」と森本さん。

水源奥の斜面に、水神様を祭る潮井神社が鎮座しています。断層は水源から神社の拝殿に上る石段の上を走りました。1202（建仁2）年以降の創建で、震災前年の11月に建て替えが済んだばかりの拝殿は建物こそ残りましたが、石垣部分の地盤が向かって左側に1メートル、下に0・7メートルずれ、土台も一部崩れました。

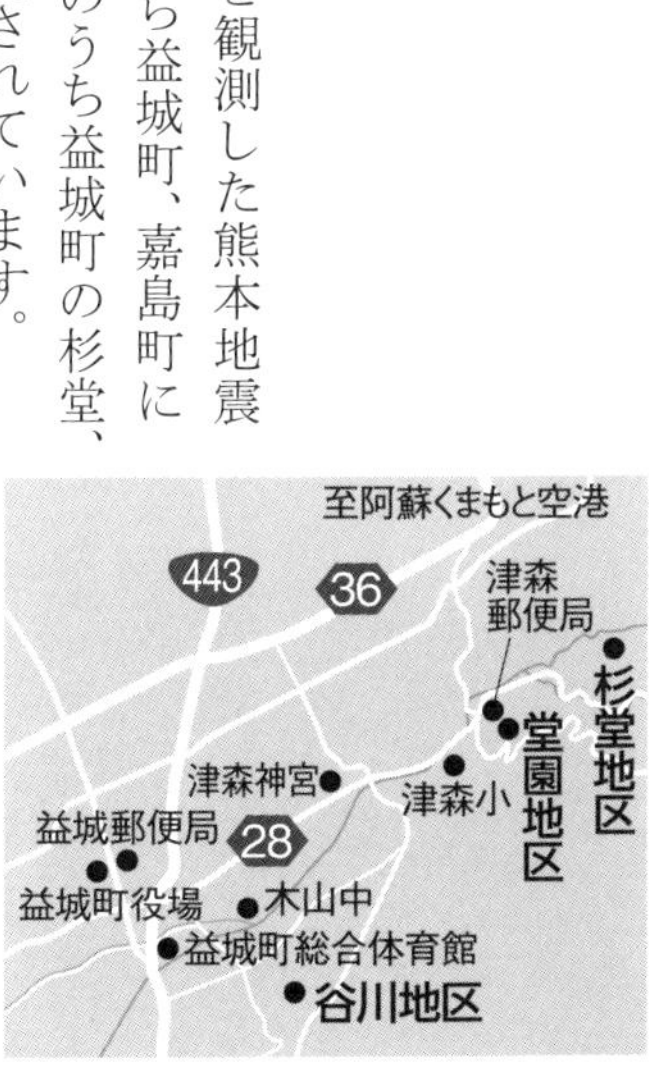

森本さんは「この断層は、自然がもたらす湧き水という恵みと、地震という災いとが表裏不可分であることを教えてくれます」と言います。人々の飲み水として、あるいは田畑を潤す清水は、断層崖（が

益城町は潮井神社の断層や社殿を保存し、地震の記憶を伝えています

い）の砂礫（されき）層を通って湧き出してくるもの。その断層がマグニチュード7・3の地震を引き起こしました。

断層保存の準備で森本さんは、社殿の扱いなどを熊本県神社庁に尋ねたそうです。「その時、日本の神様は昔からサチミタマ（幸魂）とアラミタマ（荒魂）の二つの側面を持つとされてきたことを教えてもらいました」。当時の人々は、水や断層が隠れるこの地に神が宿ると考え、神社を建てたのではないかという気がします。

杉堂から約2キロ南西の堂園地区には田畑のあぜ道が2・5メートルもずれる断層が走りました。震災直後は地区に残る「大蛇伝説」の大蛇が通った跡のように見えたそうです。

潮井神社では、拝殿前の断層の直上に立っていたエノキの御神木が水源側に倒れ、幹が残っていました。その様子が、まるで地下から現れた大蛇の抜け殻のように思えました。

森本さんは益城町出身。大学を出て、大分県宇佐市の教育委員会から文化庁に出向していた時に熊本地震が起きました。「地元のことが心配でやきもきしていた時に、上司が九州の出張に同行させてくれて本当にありがたかった」そうです。翌春、益城町教育委員会に移籍し、発掘調査や被災文化財の復旧などに走り回っています。

森本さんは「布田川断層帯は阿蘇、九重を抱えて九州中央部を横切る別府―島原地溝帯の南縁にあり、重要な災害遺構。地元にはつらい記憶ですが、熊本地震とその教訓を後世に伝えるため、多くの方々に協力していただいています」と話しています。

【メモ】
益城町は、国の天然記念物に指定された3カ所の断層の保存方法や教訓を伝えるための活用計画をまとめ、整備を進めています。

〈菊陽町＝町指定史跡〉

南郷往還跡（なんごうおうかんあと）

（2021年10月16日付）

急坂に残るこけむした石畳　人や物が往来した「民の道」

熊本空港から第1空港線で高遊原台地を下り、そのまま1キロほど進んだ先のY字路を左に入った辺りが道明（どうみょう）地区。道路が菊陽町と熊本市の境で、やがて台地側に入る角に「南郷往還跡」の説明板があります。「ここが南郷往還の石畳の入り口です」と菊陽町教育委員会生涯学習課の田中智也さんが案内してくれました。

細い道はすぐ、曲がりくねった急な上りになり、大きな自然石を敷き詰めた石畳が現れます。「石畳は180メートルほど残っていて、その部分が菊陽町指定の史跡です。標高差約50メートルの坂を上り切ると熊本空港に出ます」と田中さん。道はうっそうとした木立に覆われ、石の表面にはコケがびっしり。「道明」の名の由来には、この坂を抜けると道が明るくなったからという説もあるそうです。

往還は空港敷地を北西から斜めに横切るように通り、西原村に抜けていました。菊陽町の遺跡地図を見ると、ちょうど空港ターミナル前の駐機スペース辺りを通っていたようです。

高遊原台地に上る急坂に残る石畳

南郷往還は古くから、熊本城下を流れる白川左岸地域の重要な生活道路でした。長六橋際から本荘、九品寺、大江、保田窪を通り、長嶺、小山戸島、高遊原台地を経て俵山を越え、南郷谷に下りて高森から豊後竹田へと通じていました。江戸初期の正保の国絵図には既に小山村と戸島村の間を通る道筋が描かれています。

熊本市内にも南郷往還の跡があります。国道57号東バイパス保田窪北交差点から国体道路に入ってすぐ、斜め左に西原中正門前へと向かう上り道が南郷往還跡。突き当たりの鉄工団地で途切れますが、東に進んで長嶺中の北を流れる健軍川に出ていました。

長嶺中東側の川沿いに立つ説明板によると、この健軍川上流部分が南郷往還の道筋でした。帯山の一面の畑の中を通った南郷往還は堀切のくぼんだ道で、大雨の時には排水路の役割を果たしましたが、普段は地面が湿っていてほこりが立たず、馬が食べる草も生えて便利だったそうです。

しかし、太平洋戦争中、現・日赤県支部や県立大などの場所に建設された健軍飛行場にかかって往還は途切れ、飛行場の大雨対策と合わせて江津湖まで排水路が掘削されました。それが健軍川。この川が長嶺中の西で急に南に曲がるのは飛行場を迂回(うかい)するためでした。

さて、南郷往還は九州自動車道をくぐり、託麻東小の先で第1空港線と合流。しばらく道路の右側、やがて左側に移って続く側溝が往還跡の道筋です。そして桃尾墓園入り口を過ぎ、300㍍ほど先で斜め右に分かれる道を行くと、熊本市側の「道明入口と南郷往還」の標柱があります。標柱手前の道沿いには幅3㍍ほどの浅いくぼみが続いていて、かつての往還の様子をしのばせてくれます。

田中さんは「白川右岸を通る豊後街道が参勤交代にも使われた『官の道』だったとすれば、南郷往還は人や物の往来で踏み固められた『民の道』でした。今も、石畳などの往還跡を地元の皆さんが守ってくれています」と話しています。

【メモ】

菊陽町の説明板の足元には「右まんとく左おふつ」と刻まれた道標があります。「まんとく」は西原村万徳、「おふつ」は大津です。道標の後ろに立つ石の地蔵は1726（享保11）年の建立だそうです。

〈山都町＝文化庁選定歴史の道百選〉

日向往還（ひゅうがおうかん）（2020年12月19日付）

縄文から続く人々の往来　生活を支えた「庶民の道」

山都町の浜町から国道218号を清和方面に向かい、聖橋を過ぎてしばらく行くと、トンネル手前に男成（おとこなり）神社の案内板が立っています。左へ上る脇道に入り、茶畑の間を行くとすぐ、右手に枝分かれする小道があります。それが日向往還。真新しい石の道標が立っています。

道はやがて切り通しになり、尾根筋の急斜面を貫く「山屋のトンネル」が現れます。入り口の説明板によると長さ22メートル、幅と高さ2・3メートル。凝灰岩を素掘りでくりぬいた、日向往還唯一のトンネルだそうです。

「このトンネルは1850（嘉永3）年に矢部手永の惣庄屋・布田保之助が責任者となり造られました。布田家文書によると、通潤橋などの水利施設や主要道路などが整備されました」と山都町教育委員会生涯学習課の大津山恭子さんが教えてくれました。

熊本市から御船を過ぎ、馬見原から宮崎県境へ至る日向往還は古代の官道や参勤交代に使われた豊前街道、豊後街道などと違い、古くから人々の往来で形づくられてきました。

山都町の遺跡からは、約7千年前の縄文時代に持ち込まれた大分県姫島産の黒曜石や、宇土市の曽

竜の鼻の道標（右奥）。男成集落の西に立っています。1699（元禄12）年の年号が刻まれていて、県内で現存する最古の道標とされています。町指定有形文化財

畑貝塚で出土する曽畑式土器などが見られ、早い時期から東と西の文化が行き交っていたことが裏付けられています。「このトンネル近くに縄文時代晩期の遺跡もあり、九州各地でみられる黒川式土器が出土しています」と生涯学習課の西慶喜さんが言います。

平安時代後期には、山都町東部が阿蘇神社の社領となり、大宮司だった阿蘇氏との関係が深まります。さらに時代が下ると県立矢部高校一帯に「浜の館」が築かれ、阿蘇氏は最盛期を迎えます。

西さんは「国司の影響力から逃れるため、阿蘇神社に土地を寄進することで地域ごとに阿蘇氏との関係を深め、阿蘇氏を盟主とする武士団が形成されたのではないかと思われます」と言います。

浜の館跡の発掘調査では神事に使われたとみられる大陸産の鳥形三彩水差や黄金薄板など21点（国指定重要文化財）が出土し、武士団の長でもあり、大宮司でもあった特異な性格を示しています。

近世に入り、日向往還として整備されると浜町と馬見原に宿場ができ、東西の往来はますます盛んになります。清和地区の清和文楽人形芝居（県重要無形文化財）は、「旅一座から地元の人々が人形を購入したのが始まりと伝わっています」と西さん。蘇陽地区の神楽も宮崎地方から伝わり、矢部の八朔祭の大造り物、馬見原の火伏地蔵祭の造り物もルーツは関西の商人文化につながると考えられています。

「馬見原には郷土料理として鯛めんがあります」と大津山さんが言います。姿煮にしたタイの煮汁でそうめんをゆで、白波に見立てて盛り付け、結婚式などの席に出た料理です。日向往還の宿場に新鮮な海の産物が運ばれてきたことも分かります。大津山さんは「日向往還は、昔も今も山都町の暮らしを支える『庶民の道』です」と話します。

【メモ】
日向往還の山屋のトンネルなどを手掛けた惣庄屋の布田保之助が、矢部の白糸台地に農業用水を送るため築いた通潤橋は、２０２３（令和５）年９月25日、土木構造物としては初めて国宝に指定されました。

〈阿蘇市・産山村＝国指定史跡〉

豊後街道（ぶんごかいどう）（２０１８年７月７日付）

街道の管理に見る　細川氏の統治手腕

熊本市内から阿蘇を目指し、２０１６（平成28）年の熊本地震で被災した国道57号の迂回（うかい）路になったミルクロードを上っていくと、標高６８３㍍の二重峠（ふたえのとうげ）辺りで木立が途切れます。

交差点で赤水方面へ右折せず、さらに１㌔ほど進むと、右手に見えてくる駐車場の奥に「豊後街道」の標柱が立っています。そこから続くつづら折りの二重峠の石畳や外輪山を下りた所にある的石御茶屋（まといしおんちゃや）跡などが２０１３年、国史跡に指定されました。

「二重の地名は平安時代の延喜式に『駅家』『馬牧』として登場し、古代から豊後と肥後を結ぶ官道や駅馬を飼育する牧場があったと考えられています」と阿蘇市教育委員会教育課社会教育係の宮本利邦さんが言います。

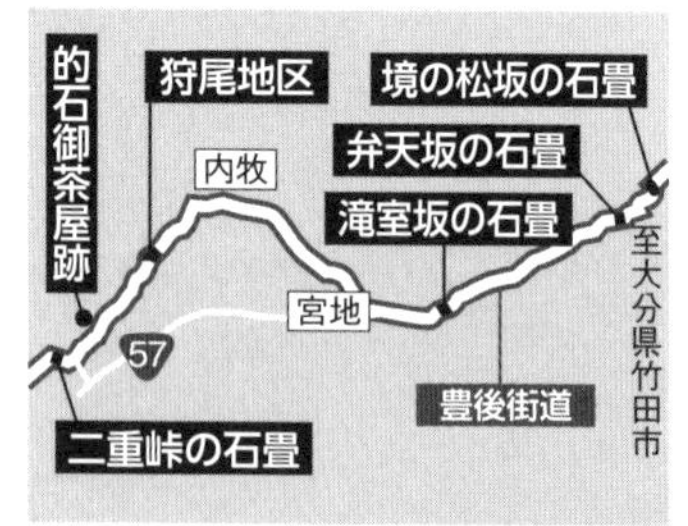

街道は人や物、情報、時には兵馬が通る重要なインフラでした。１５８８（天正16）年、肥後に入国した加藤清正は、大阪や江戸への最短ルートとして、あえて山越えで大分市の鶴崎に出る豊後街道を整備。江戸時代には参勤交代や阿蘇の年貢米を運ぶのにも使われたそうです。

その石畳を歩き始めるとすぐに雄大な阿蘇の景観が開けます。「土木工事の点からは、より効率的な

「豊後街道」の標柱から石畳を100メートルほど進むと、阿蘇カルデラのパノラマが広がります

ルートもあったと思いますが、峠を越えた殿様の一行が見る眺望を意識したのではないでしょうか」

車に戻って阿蘇谷に下り、山裾沿いに北へ向かうと、藩主の休憩所だった的石御茶屋跡に着きます。元は豊後・大友氏の家臣で当時は惣庄屋だった小糸家の屋敷で、今も清冽な泉が湧いています。ただ、残念なことに建物は熊本地震で倒壊してしまいました。

１６９７（元禄10）年、第３代藩主・細川綱利の時代に御茶屋に定められ、小糸家は御茶屋番に任じられたそうです。「細川氏は街道や御茶屋の管理といった重要な役目を、地元の惣庄屋などに任せたようです」と宮本さん。

熊本は、肥後国衆一揆などにみられるように、あちこちに国衆が割拠し、まとめるのが難儀な国でした。宮本さんは、「外様大名で各地を転々としてきた細川氏は、地元の有力者を押さえつけるのではなく、意見を聞き、取り込むことで、幕末まで約２４０年もの間を無事に乗り切りました」と話します。

豊後街道の歴史は細川氏の統治手腕の一端を示すもの――。宮本さんは、こう考えているそうです。

【メモ】

国指定を受けたのは阿蘇市の「二重峠の石畳」「的石御茶屋跡」「狩尾地区」「滝室坂の石畳」と産山村の「弁天坂の石畳」「境の松坂の石畳」。阿蘇市内牧の市立体育館周辺は、藩主が宿泊した内牧御茶屋跡。一画に整備された「阿蘇ファミリーパーク」は親子で遊べます。

〈おわりに〉

自分が生活している場所にはどんな歴史があったのか――。あれこれ空想するのは楽しいものですが、遺跡調査などで昔の様子が分かったりすると、格段に興味が湧きます。

本書で紹介した熊本市の長嶺遺跡群は筆者の自宅近くにあり、弥生時代の竪穴住居跡から鉄器類や阿蘇地方特産の赤いベンガラが出土。引っ越す際に焼き払った跡も残っていることなどから、阿蘇とのつながりがうかがえるそうです。この遺跡から少し南を、熊本市内と南阿蘇を結んだ南郷往還が通っています。そのころから人々が往来し、わが家の近くではコメや大豆などを育てていたのかもしれません。そう考えると、太古から連綿と続く地域の歴史の上に今の暮らしがあることに思い至ります。

この本には、各地の現場で文化財の保存と活用の兼ね合いに頭を悩ませながら調査を続ける学芸員さんらの「取って置き」を収めました。さまざまなジャンルがそろっています。興味が湧いた所があったら実際に出かけ、さらに図書館にある各市町村史や自治体の発掘調査報告書などで調べてみるのはどうでしょう。近年は自宅からでもインターネットで国立奈良文化財研究所の「全国遺跡報告総覧」に収録された、熊本県内をはじめ全国の主要な遺跡調査報告書や、研究者の論文などの資料も読めるようになっています。皆さんが足元の歴史に興味を持っていただくきっかけになれば幸いです。

著者プロフィル

林　　茂（はやし・しげる）

1957年、熊本市生まれ。中央大学法学部卒。1982年、熊本日日新聞社入社。校閲部、社会部、八代支社、政経部、東京支社、編集本部、地方部、販売部などを経て、2018年3月から23年3月まで熊日販売局発行の「あれんじ」編集長。共著に「大号令！現役合格　高校教育を問う」（社会思想社）など。

親子で学ぶ　熊本の文化財

発　行　日　2023（令和５）年11月３日
著　　　者　林　茂
発　　　行　株式会社熊本日日新聞社
制作・発売　熊日出版（熊日サービス開発株式会社）
〒860-0827　熊本市中央区世安１－５－１
TEL 096-361-3274　FAX 096-361-3249
https://www.kumanichi-sv.co.jp/books/
装　　　丁　臺信デザイン事務所
印　　　刷　株式会社チューイン

ISBN978-4-87755-652-5　C0037